DE KLIF KRONIEKEN

Ver voorbij het Diepe Woud

Paul Stewart & Chris Riddell

DELTAS

DIEPE WOUD

SCHEMERWOUD

KLIFLAND

HET KLIF

Voor Joseph en William

Reeds verschenen in De Klif-Kronieken:

De vloek van de Schemergluiperd

De Twijg-trilogie
Boek 1: Ver voorbij het Diepe Woud
Boek 2: De Stormenjager
Boek 3: Dreiging over Sanctaphrax

De Roek Blafwater-trilogie
Boek 1: De laatste luchtpiraat
Boek 2: De wraak van Vox Verlix
Boek 3: De vlucht naar de Vrije Laren

Originele titel: *Beyond the Deepwoods*
Text and illustrations copyright © MCMXCVIII
by Paul Stewart and Chris Riddell
This edition is published by arrangement with Transworld Publishers,
a division of The Random House Group Ltd. All rights reserved.
© Zuidnederlandse Uitgeverij N.V., Aartselaar, België, MMVI.
Alle rechten voorbehouden.
Deze uitgave door: Deltas, België-Nederland.
Vertaling: Jan Vangansbeke.
Gedrukt in België

D-MMVI-0001-484
NUR 284

Inleiding

Heel ver weg, als het boegbeeld van een machtig schip van steen priemend door de leegte erna, ligt het Klif. Een stortvloed van water dendert eindeloos over de richel van de rots bij het overhangende punt.

De rivier is er breed en gezwollen, en werpt zich met een bulderend geraas naar beneden in de wervelende, nevelige leegte eronder. Het is amper te geloven dat de rivier – zoals alle andere dingen die groot en luid en vol van hun eigen belang zijn – ooit anders geweest zou kunnen zijn. En toch, de oorsprong van de Klifwater Rivier kon nauwelijks nederiger zijn.

Haar bron ligt een heel stuk landinwaarts, hoog in het donkere en verboden Diepe Woud. Het is een kleine, borrelende poel, die als een nietig stroompje overloopt en zo benedenwaarts glijdt langs een bed van zanderig grint, iets breder dan een stuk touw. Haar onbeduidendheid wordt nog duizendmaal versterkt door de grootsheid van het Diepe Woud zelf.

Het donkere en geheimzinnige Diepe Woud is een ruwe en gevaarlijke plaats voor wie het zijn thuis noemt. En zo zijn er velen. Woudtrollen, slachters, drabkobolds, kijvende grotfeeksen: ontelbare stammen en vreemde volksgroepen proberen te overleven in het gespikkelde schijnsel van zon en maan onder het torenhoge gewelf.

Het is een hard leven, vol gevaren van allerlei soort: monsterlijke creaturen, vleesetende bomen, plunderende horden woeste beesten, grote zowel als kleine... Maar het leven kan er ook heel voordelig zijn, want voor de sappige vruchten en zwevende houtsoorten die er groeien, wordt een hoge prijs betaald. Luchtpiraten en handeldrijvende ligaleden wedijveren er om de markt, en leveren hoog in de lucht boven de oneindig oceaangroene boomtoppen slag met elkaar.

Waar de wolken neerdalen, ligt het Klifland, een onvruchtbare woestenij van wervelende nevelen, geesten en nachtmerries. Wie verdwaald raakt in het Klifland wacht een van twee lotsbestemmingen. De gelukkigen strompelen blind naar de rand van het Klif en storten te pletter. Wie pech heeft, belandt in het Schemerwoud. Badend in het nooit eindigende gouden halflicht, lijkt het Schemerwoud heel betoverend, maar het is ook verraderlijk. De atmosfeer is er bedwelmend, vergiftigend. Wie de lucht te lang inademt, vergeet waarom hij naar het Schemerwoud is getrokken, zoals de verloren ridders op lang vergeten queesten, die hun leven zouden opgeven – als het leven hen maar wilde opgeven. Soms wordt de zware stilte verstoord door hevige stormen, die komen aanwaaien van achter het Klif. Onweerstaanbaar aangetrokken door het Schemerwoud, zoals ijzervijlsel door een magneet, motten door een vlam, cirkelen de stormen rond in de gloeiende hemel

– soms dagen aan een stuk. Sommige stormen zijn bijzonder. De splijtende bliksemflitsen creëren stormphrax, een substantie die zo kostbaar is dat ook zij – ondanks de afschrikwekkende gevaren van het Schemerwoud – wie erop belust is als een magneet, als een vlam, onweerstaanbaar aantrekt.

De lagergelegen delen van het Schemerwoud grenzen aan het Slik. Een stinkende, vervuilde plek, verstikt door de smurrie van werkplaatsen en gieterijen van Onderstad, die er zo lang hun afval hebben gedumpt en gepompt dat het land er morsdood is. En toch – zoals waar dan ook op het Klif – leven ook hier wezens. Hun ogen zijn roze en hun huid bleek als de omgeving. Dit zijn de snuffelaars, neuzend in het vuil op zoek naar wat te eten. Enkelen ervan dienen als gidsen, en leiden hun gasten over het desolate landschap van giftige spuitgaten en verzinkende modder, alvorens ze kaal te plukken en aan hun lot over te laten.

Wie er toch in slaagt het Slik te doorkruisen, komt aan in een wirwar van bouwvallige krotten en vervallen sloppen aan weerszijden van de traag vloeiende Klifwater Rivier. Dit is Onderstad.

Haar bevolking is een samenraapsel van allerlei vreemde volkeren, creaturen en stammen van het Klif-wereld opeengepakt in haar nauwe straatjes. Het is er smerig, overbevolkt en vaak gewelddadig, maar Onderstad is ook het centrum van alle economische activiteit – zowel de openlijke als clandestiene. De stad bruist, borrelt en barst van de energie. Al wie er leeft, heeft er een bepaalde handel, met daarmee samengaand een liga en een district. Dit leidt tot intriges, complotten, bittere concurrentie en onophoudelijke geschillen – tussen districten, tussen liga's en tussen rivaliserende handelslui. Het enige wat alles verbindt in de Liga van Vrije Handelaren is hun gedeelde angst en haat voor de luchtpiraten, die de hemelen boven het Klif domineren in hun zwevende boten en azen op iedere ongelukkige handelaar die hun pad kruist.

Midden in Onderstad bevindt zich een grote ijzeren ring, waaraan een lange en zware keten – nu eens strak, dan weer slap – zich uitstrekt tot in de hemel. Aan het uiteinde ervan zit een grote, zwevende rots.

Zoals alle andere drijvende rotsen van het Klif vindt ook deze haar oorsprong in de Stenen Tuinen – daar kwam ze plotseling uit de grond tevoorschijn, groeide en werd omhooggestuwd door andere onder haar groeiende nieuwe rotsen en bleef groeien.

De keten werd eraan vastgehecht toen de rots groot en licht genoeg was om in de lucht te zweven. En op deze rots werd de schitterende stad Sanctaphrax opgetrokken.

Sanctaphrax, met haar hoge, smalle, onderling door viaducten en voetpaden verbonden torens, is een zetel van wetenschap. De stad wordt bevolkt door academici, alchemisten en leerjongens en is voorzien van bibliotheken, laboratoria en collegezalen, eetzalen en docentenvertrekken. De vreemde studieonderwerpen worden er angstvallig bewaakt, en alhoewel iedereen er welwillend lijkt, is Sanctaphrax een broeinest van rivaliteit, talrijke intriges en getouwtrek tussen partijen.

Het Diepe Woud, Klifland, Schemerwoud, Slik en Stenen Tuinen. Onderstad en Sanctaphrax. De Klifwater Rivier. Namen op een kaart.

En toch, achter elk van deze namen gaan duizenden verhalen schuil, verhalen die zijn neergepend in antieke geschriften, verhalen die generaties lang mondeling werden overgeleverd, verhalen die zelfs nu nog worden verteld.

Wat volgt, is maar één van deze verhalen.

HOOFDSTUK EEN

DE HUT VAN DE FAMILIE RUKHOUT

Twijg zat op de vloer tussen de knieën van zijn moeder, en krulde zijn tenen in de dikke vacht van het tapijt. In de hut was het kil en tochtig. Twijg leunde voorover en opende het kacheldeurtje.

'Laat me je het verhaal vertellen van hoe je aan je naam kwam', stelde zijn moeder voor.

'Maar dat verhaal ken ik al, Moeder-Mijn', pruttelde Twijg tegen.

Spelda zuchtte. Twijg voelde haar warme adem in zijn nek, en rook het gepekelde tripkruid dat ze 's middags had gegeten. Hij trok zijn neus op. Zoals bijna al het voedsel waar woudtrollen dol op waren, vond Twijg tripkruid weerzinwekkend, vooral gepekeld. Het was slijmerig en stonk naar rotte eieren.

'Ja, maar deze keer wordt het een beetje anders', hoorde hij zijn moeder zeggen. 'Deze keer maak ik het verhaal af.'

Twijg fronste. 'Ik dacht dat ik het slot al eens had gehoord.'

Spelda maakte haar zoons dikke, zwarte haar in de war. Wat is hij snel groot geworden, dacht ze, en veegde een grote traan van de tip van haar rubberen knopneus.

'Een verhaal kan meer dan één slot hebben', zei ze treurig, en keek in de purperen gloed van het vuur dat glom op Twijgs hoge jukbeenderen en scherpe kin. 'Al vanaf je geboorte', begon ze zoals ze steeds begon, 'was je anders...'

Twijg knikte. Wat was het pijnlijk, zo pijnlijk geweest *anders* te zijn toen hij opgroeide. Maar nu vond hij het leuk te denken aan de verrassing bij zijn ouders toen ze hem voor het eerst onder ogen hadden gekregen: don-ker, groene ogen, een zachte huid en toen al met uit-zonderlijk lange benen voor een woudtrol. Hij staarde in het vuur. Het fikhout brandde uitstekend. Paarse vlammen likten gretig aan de stompe blokken die tol-den en tuimelden in de kachel.

De woudtrollen konden uit heel wat soorten hout kie-zen en elke soort had zijn eigen kenmerken. Parfum-hout bijvoorbeeld verspreidde tijdens het branden een geur die iedereen die hem opsnoof naar dromenland stuurde, terwijl het hout van de zilver-turkooizen wie-geliedboom zong als vlammen zijn stam kietelden – vreemde, verdrietige liedjes waren het, en niet iedereen hield ervan. En dan was er nog de bloedeik, compleet met zijn parasitische handlanger, een met weerhaken uitgeruste klimplant die luisterde naar de naam teer-kruiper.

Hout van de bloedeik bemachtigen was een riskante onderneming. Iedere woudtrol die zijn houtleer niet volledig onder de knie had, kon eindigen als lekkernij voor de op vlees beluste boom – want de bloedeik en de teerkruiper vormden twee van de grootste bedrei-gingen in het donkere en gevaarlijke Diepe Woud.

Zeker, het hout van de bloedeik verspreidde heel wat warmte, en bovendien rook noch zong het, maar de manier waarop het jammerde en schreeuwde terwijl het opbrandde, kon maar weinigen bekoren. Nee, fik-hout was onder de woudtrollen absoluut het popu-lairst. Het brandde goed en de trollen vonden de paar-se gloed rustgevend.

Twijg geeuwde terwijl Spelda haar verhaal vervolgde. Haar stem klonk hoog maar gutturaal: alsof ze gorgelde achter in haar keel.

'Nauwelijks vier maanden oud, kon je al rechtop lopen', zei ze, en Twijg hoorde de trots in zijn moeders woorden. De meeste woudtrolkinderen kropen rond tot ze minstens achttien maanden oud waren.

'*Maar...*', fluisterde Twijg zachtjes. Zonder het te willen werd hij door het verhaal meegesleept en wist hij al wat komen zou. Het was tijd voor de 'maar'. Steeds als de 'maar' kwam, huiverde Twijg en hield zijn adem in. 'Maar,' zei ze, 'hoewel je fysiek een grote voorsprong op de anderen had, weigerde je te praten. Drie jaar was je al, en nog niet één woord!' Ze ging anders zitten in haar stoel. 'En ik hoef je niet te vertellen hoe *ernstig* dat kan zijn!'

Opnieuw slaakte zijn moeder een zucht. Opnieuw verwrong Twijg zijn gezicht in afschuw. Iets wat Klishaar hem ooit verteld had, schoot hem te binnen: 'Je neus weet waar je hoort.' Twijg dacht dat hij ermee bedoelde dat hij de unieke geur van zijn eigen huis steeds zou herkennen. Maar misschien was dit niet zo? Wat als de oude eikelf – in zijn gebruikelijke omfloerste taal – in feite gezegd had dat dit *niet* zijn thuis was, omdat zijn neus niet hield van wat hij rook?

Twijg slikte schuldig. Dit had hij zo vaak gewenst telkens hij in zijn bed lag na weer eens een hele dag gepest, beschimpt en bespot te zijn.

Door het raam zakte de zon steeds lager in de gespikkelde lucht. De zigzaggende silhouetten van de pijnbomen van het Diepe Woud schitterden als bevroren bliksemflitsen. Twijg wist dat er sneeuw zou vallen nog voor zijn vader die avond thuiskwam.

Hij dacht aan Tuntum, ergens in het Diepe Woud ver voorbij de ankerboom. Misschien liet hij op dit precieze ogenblik zijn bijl zakken in de bast van een gevaarlijke bloedeik.

Twijg huiverde. Zijn vaders vreselijke verhalen hadden hem tijdens meer dan een huilende nacht met diepe angst vervuld. Hoewel hij een meester-graveur was, verdiende Tuntum Rukhout vooral zijn brood met de onwettige reparatie van schepen van luchtpiraten. Daarvoor had hij zwevend hout nodig – en het beste zweefhout was dat van de bloedeik.

Twijg was niet helemaal zeker over zijn vaders gevoelens voor hem. Telkens Twijg naar de hut terugkeerde

met een bloedneus en een blauw oog of met kleren die onder de modder zaten, wilde hij dat zijn vader hem in zijn armen sloot en de pijn wegsuste. Maar in plaats daarvan gaf Tuntum hem raad en stelde eisen.

'Sla *hen* een bloedneus', zei hij eens. 'Sla *hen* een blauw oog. En gooi niet met modder maar met *drek*! Toon ze waarvan je bent gemaakt.'

Later, toen zijn moeder bropbessenzalf op zijn schaaf-wonden smeerde, legde ze uit dat Tuntum maar één zorg had: hem voorbereiden op de hardheid van de wrede buitenwereld. Maar Twijg was niet overtuigd. In Tuntums blik had hij geen bezorgdheid gelezen, maar misprijzen.

Twijg wond afwezig een lok van zijn lange, donkere haar om zijn vinger terwijl Spelda verder vertelde.

'Namen', zei ze. 'Wat zouden woudtrollen zijn zonder namen? Ze temmen de wilde dingen in het Diepe Woud, en schenken ons onze eigen identiteit. Nip niet aan een soep zonder naam, zoals het spreekwoord zegt. O, Twijg, wat mokte ik toen jij, al drie jaar oud, nog steeds geen naam had.'

Twijg huiverde. Hij wist dat iedere trol die naamloos stierf, gedoemd was tot een eeuwig leven in een open veld. Het probleem was dat het naamgevingsritueel al-leen kon plaatsvinden wanneer de kleine zijn eerste woordje had gesproken.

'Was ik echt zo stil, Moeder-Mijn?' vroeg Twijg.

Spelda keek de andere kant op. 'Niet één woord kwam er over je lippen. Ik dacht dat je misschien was zoals je overgrootvader Weezil. Die sprak ook nooit.' Ze zuchtte. 'Dus besloot ik op je derde verjaardag om het ritueel toch maar uit te voeren. Ik...'

'Leek overgrootvader Weezil op me?' onderbrak Twijg haar.

'Nee, Twijg', zei Spelda. 'Nooit is er een Rukhout – laat staan een trol – geweest die op jou leek.'

Twijg trok aan de streng haar. 'Ben ik lelijk?' vroeg hij.

Spelda gniffelde. Terwijl ze dit deed, zwollen haar donzige wangen op en verdwenen de kleine, steenkoolgrijze oogjes in de vouwen van haar leren huid. '*Ik* vind van niet', zei ze. Ze leunde vooorver en sloeg haar lange armen rond Twijgs borst. 'Jij blijft steeds mijn mooie jongen.' Ze pauzeerde. 'Nu, waar was ik gebleven?'

'Het naamgevingsritueel', bracht Twijg haar in herinnering.

Hij had het verhaal al zo vaak gehoord dat hij niet meer zeker wist wat hij zich kon herinneren en wat hem verteld was. Bij het krieken van de dag had Spelda het platgetreden pad gevolgd dat leidde naar de ankerboom. Daar had ze een touw aan de bast vastgebonden en was met het touw de donkere bossen ingetrokken. Dit was gevaarlijk, niet alleen wegens de onzichtbare gevaren die loerden in het Diepe Woud, maar ook omdat de kans steeds bestond dat het touw knakte en brak. Woudtrollen waren als de dood voor verdwalen.

De trollen die toch van het pad afdwaalden en hun weg verloren, waren kwetsbaar voor aanvallen van de Schemergluiperd, het wildste van alle creaturen die zich in het Diepe Woud schuilhielden. Iedere woudtrol leefde in voortdurende angst voor een ontmoeting met het afschrikwekkende beest. Spelda had zelf vaak haar oudere kinderen de stuipen op het lijf gejaagd met verhalen over de woudkwelduivel: 'Als je niet onmiddellijk ophoudt zo'n stoute woudtrol te zijn,' zei ze dan, 'komt de Schemergluiperd jullie halen!'

Steeds dieper trok Spelda het Diepe Woud in. Rond haar echode het woud met het gehuil en gejank van verborgen beesten. Ze betastte de amuletten en geluksbedeltjes rond haar nek en smeekte om een snelle en veilige thuiskomst.

Toen Spelda uiteindelijk aan het eind van het touw kwam, haalde Spelda een mes – een *naamgevingsmes* – van haar riem. Het mes was belangrijk. Het was speciaal voor haar zoon gemaakt, zoals voor alle woudtrolkinderen een mes wordt vervaardigd. De messen waren uitsluitend bedoeld voor het naamgevingsritueel en, wanneer de kinderen meerderjarig werden, kreeg ieder van hen zijn eigen naamgevingsmes.

Spelda nam het heft stevig beet, reikte voorwaarts en, zoals de procedure het vereiste, hakte een stuk hout uit

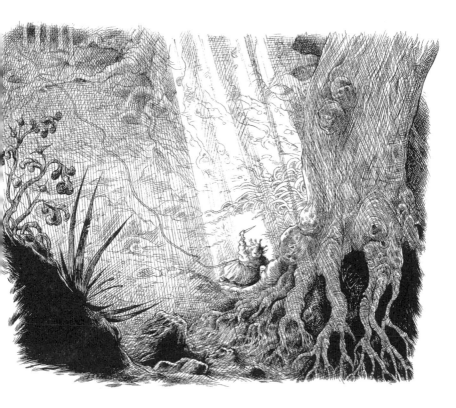

de dichtstbijzijnde boom. Dit kleine stukje Diepe Woud zou de naam van haar kind onthullen.

Spelda werkte snel. Ze wist maar al te goed dat het hakkende geluid nieuwsgierige, misschien dodelijke, aandacht zou trekken. Toen ze klaar was, nam ze het stuk hout onder haar arm, trippelde snel het bos uit, maakte het touw aan de ankerboom los en keerde terug naar de hut. Daar kuste ze het stuk hout tweemaal en wierp het in het vuur.

'Bij je broers en zusjes verschenen de namen dadelijk', verklaarde Spelda. 'Snutpil, Schildkruid, Poehsnif – zo duidelijk als wat. Maar in jouw geval knetterde en

knisperde het hout alleen maar. Het Diepe Woud weigerde jou een naam te geven.'

'En toch heb ik een naam', zei Twijg.

'Inderdaad', zei Spelda. 'Dankzij Klishaar.'

Twijg knikte. Hij kon zich de gelegenheid nog heel
goed voor de geest halen. Klishaar was pas terug in het
dorp na een periode van afwezigheid. Twijg herinnerde zich hoe uitzinnig van vreugde de woudtrollen geweest waren toen hun geliefde eikelf weer in hun midden was. Want Klishaar, die de subtielste punten van
de houtleer haarfijn kende, was hun raadgever, hun
adviseur, hun orakel. De woudtrollen konden steeds
op hem rekenen als ze zorgen hadden.

'Er waren al heel wat trollen samengetroept onder zijn
oude wiegeliedboom toen wij arriveerden', zei Spelda.
'Klishaar zat in zijn lege cocon van een schutvogel en
vertelde in geuren en kleuren waar hij geweest was en
wat hij gezien had op zijn reizen. Maar zodra hij me
zag, gingen zijn ogen wijd open en draaiden zijn oren.
"Wat is er aan de hand?" vroeg hij.

En ik vertelde het hem. Ik vertelde hem alles. "O, he-
meltje, beheers je", zei hij. Toen wees hij je aan. "Vertel
me eens", zei hij. "Wat draagt de kleine daar om zijn
nek?"

"Dat is zijn troostlapje", zei ik. "Niemand mag het aan-
raken. En hij wil er ook geen afstand van doen. Zijn vader probeerde het eens – hij zei dat de jongen te groot
was voor dergelijke kinderachtigheden. Maar hij rolde
zich in een balletje en schreeuwde en gilde tot we het
hem teruggaven."'

Twijg wist wat er nu volgde. Hij had het al ontelbare malen gehoord.

'Toen sprak Klishaar: "Geef het me", en staarde diep in je ogen met die grote, zwarte ogen van hem – zoals alle eikelfen die hebben. Ze kunnen delen van de wereld zien die verborgen blijven voor anderen.'

'En ik gaf hem mijn troostlapje', fluisterde Twijg. Zelfs nu hield hij er niet van als iemand het aanraakte, en liet het stevig om zijn nek gebonden.

'Dat deed je inderdaad', vervolgde Spelda. 'En ik kan het nog steeds nauwelijks geloven. Maar dat was niet alles, o, nee.'

'O, nee', zei Twijg haar na.

'Hij nam je doekje en begon het te strelen, heel zachtjes, alsof het een levend ding was, en toen volgde hij met zijn vingertop het patroon erop, heel lichtjes. "Een wiegeliedboom", zei hij uiteindelijk. Ik had altijd gedacht dat het gewoon een mooi patroon was – allerlei krullen en kleine steken – maar nee, het was inderdaad een wiegeliedboom, zeker, zo duidelijk als de neus op je snoet.'

Twijg lachte.

'En het vreemde was dat je er helemaal geen bezwaar tegen maakte dat goede oude Klishaar je troostlapje aanraakte. Je zat daar maar, roerloos en doodstil. Toen staarde hij je opnieuw aan en sprak met zachte stem: "Jij bent een deel van het Diepe Woud, stille jongen. Ook al heeft het naamgevingsritueel niet gewerkt, je bent een deel van het Diepe Woud... Een deel van het Diepe Woud", herhaalde hij met een glazige blik in zijn

ogen. Toen richtte hij zijn hoofd op en spreidde zijn armen wijd open. "Zijn naam zal zijn..."'
'... Twijg!' gilde Twijg, niet langer in staat zijn mond te houden.

'Inderdaad', lachte Spelda. 'Zomaar ineens floepte je het eruit. Twijg! Je allereerste woord. En toen zei Klishaar: "Je moet goed op hem passen, de jongen is bijzonder."'

Niet *anders*, maar *bijzonder*. Dankzij dit ene feit hield hij vol steeds als de andere woudtrollen meedogenloos met hem spotten. Geen dag was voorbijgegaan zonder een of ander incident. Maar het allerergste was die keer toen hij tijdens de fatale krepblaaswedstrijd te grazen werd genomen.

Tot dan was Twijg dol op het spel geweest. Niet dat hij er goed in was, zeker niet, maar hij hield van de opwinding van de jacht – want krepblaas was een spel waarbij veel moest worden gelopen.

Het spel vond plaats op een rechthoekig stuk land tussen de achterkant van het dorp en het woud. Kriskras door het speelveld liepen paden die generaties jonge woudtrollen platgetreden hadden. Tussen deze kale sporen groeide het gras dik en hoog.

De spelregels waren heel eenvoudig. Er waren twee teams, met in elke ploeg zoveel woudtrollen als aan het spel wensten deel te nemen. De bedoeling van het spel was om de krepblaas op te vangen – de met krepbonen gevulde blaas van een hamelhoorn – en twaalf stappen te zetten terwijl je elke stap hardop telde. Slaagde je

daarin, dan mocht je naar de centrale basket werpen, wat je score kon verdubbelen. Maar omdat het speelveld glibberig en de krepblaas altijd zompig was, en de tegenstanders uit alle macht de bal probeerden te bemachtigen, was dit niet zo eenvoudig als het klonk. Twijg speelde het spel al acht jaar en nog nooit was iemand erin geslaagd een krepblaas te scoren.

Die morgen had niemand geluk. Door een zware regenvlaag was het veld helemaal doordrenkt en het spel stopte en begon steeds opnieuw, want woudtrol na woudtrol gleed uit op de modderige paden.

Pas in het derde kwartier landde de krepblaas dicht genoeg bij Twijg om hem beet te pakken en te gaan lopen. 'EEN, TWEE, DRIE...', schreeuwde hij terwijl hij, met de krepblaas onder de elleboog van zijn linkerarm, over

de paden racete die leidden naar het centrum van het veld. Hoe dichter je bij de basket kwam na twaalf stappen, hoe makkelijker het was om te scoren.

'VIER, VIJF...' Een half dozijn tegenstanders kwam op hem afgesneld. Hij schoot een pad links in. Zijn tegenstrevers zaten hem achterna.

'ZES, ZEVEN...'

'Naar mij! Twijg, naar mij!' riepen verschillende ploegmakkers. 'Geef een pass!'

Maar Twijg gaf de blaas niet door. Hij wilde zelf scoren. Hij wilde de vreugdekreten van zijn ploegmakkers horen, hij wilde hun bemoedigende klopjes op zijn rug voelen. Voor één keer wilde hij een held zijn.

'ACHT, NEGEN...'

Hij was totaal omsingeld.

'PASS NAAR MIJ!' hoorde hij. Het was Kwebbelgrof, die riep van de andere kant van het veld. Twijg snapte dat, als hij nu de blaas naar zijn vriend gooide, deze een goede kans had om te scoren. Maar dat zinde hem niet. Je onthield wie scoorde, niet wie de pass gaf. Twijg wilde dat iedereen zich herinnerde dat *hij* had gescoord.

Hij hield halt. De helft van de tegenpartij zat bijna op hem. Hij kon niet vooruit. Hij kon niet achteruit. Hij keek naar de basket. Zo dichtbij en toch zo ver, en hij wilde scoren. Er was niets dat hij meer wilde.

Plotseling leek een klein stemmetje in hem te zeggen: 'Maar wat is het probleem? Nergens in het reglement staat dat je op het pad moet blijven.' Twijg keek naar de basket en slikte nerveus. En het volgende ogenblik deed hij wat geen enkele woudtrol ooit had gedaan: *hij verliet het pad.* Het lange gras sloeg tegen zijn blote benen terwijl hij naar de basket snelde.

'TIEN, ELF... TWAALF!' gilde hij en smashte de blaas in de basket. 'Een krepblaas!' schreeuwde hij en keek triomfantelijk in het rond. 'Een score van vierentwintig punten. Ik heb een kre...' Hij stopte. De woudtrollen van beide teams keken hem woedend aan. Geen gejuich. Geen klopjes op zijn rug.

'Je hebt het pad verlaten!' riep een van hen.

'*Niemand* verlaat het pad', riep een ander.

'Maar... maar', hakkelde Twijg. 'Nergens in de regels staat dat...'

Maar de andere woudtrollen luisterden niet. Natuurlijk wisten ze zelf ook wel dat de regels nergens vermeldden dat een speler op het pad moest blijven – maar waarom zouden ze? In krepblaas – zoals in het leven – was geen enkele woudtrol *ooit* van de paden afgeweken. Het was een gegeven. Het werd als vanzelfsprekend aangenomen. Je kon net zo goed een regel hebben die bepaalde dat je nooit mocht ophouden met ademhalen!

En ineens, alsof iemand een vooraf afgesproken teken had gegeven, sprongen ze allemaal op Twijg. 'Jij vreemde snuiter', riepen ze terwijl ze hem sloegen en schopten. 'Jij gemene achterbakse gluiperd!'

Plotseling trok een hevige, stekende pijn door Twijgs arm. Alsof hij zich verbrandde. Hij keek op en zag hoe een homp van zijn zachte vlees gemeen verwrongen werd door een handvol spatelvingers.

'Kwebbelgrof', fluisterde Twijg.

De Rukhouts en de Kwebbelgrofs waren buren. Hij en Kwebbelgrof waren in dezelfde week geboren, en groeiden samen op. Twijg had altijd gedacht dat ze vrienden waren.

Kwebbelgrof lachte spottend en verwrong de huid nog harder. Twijg beet hard op zijn onderlip en vocht tegen de tranen.

Het waren geen tranen van pijn – de pijn kon hij best verdragen – maar tranen van verdriet omdat nu ook Kwebbelgrof zich tegen hem had gekeerd.

Toen Twijg in elkaar geslagen, gekneusd en bloedend naar huis strompelde, deed het verlies van zijn enige vriend het meest pijn. Omdat hij anders was, was hij nu ook alleen.

*

'*Bijzonder!*' zei Twijg en snoof.

'Ja zeker', zei Spelda. 'Zelfs de luchtpiraten erkenden dit toen ze jou zagen', voegde ze er zachtjes aan toe. 'En dat is de reden dat je vader...' Haar stem aarzelde. 'Waarom wij... Dat is de reden dat je het huis moet verlaten.'

Twijg bevroor. Het huis verlaten? Wat bedoelde ze? Hij draaide zich om en staarde zijn moeder aan. Ze huilde.

'Ik begrijp het niet', zei hij. 'Wil je dat ik wegga?'

'Natuurlijk wil ik dat niet', snikte Spelda. 'Maar over een kleine week ben je dertien. Ben je volwassen. Wat ga je dan doen? Je kunt geen hout hakken zoals je vader. Je... Je bent er niet voor gebouwd. En waar ga je wonen? De hut is nu al te klein voor je. En nu de luchtpiraten van jouw bestaan op de hoogte zijn...'

Twijg draaide de knot haar rond zijn vinger. Drie weken eerder was hij met zijn vader ver het Diepe Woud in getrokken, waar de woudtrollen het hout hakten en vormgaven dat ze aan de luchtpiraten verkochten.

Zijn vader kon rechtop blijven lopen onder de laagste takken, maar Twijg moest zich steeds opnieuw bukken. En zelfs dat was niet voldoende. Keer op keer stootte hij zijn hoofd, tot zijn schedelhuid vol pijnlijke, rode schrammen zat. Op het eind kon Twijg niet anders dan op handen en voeten naar de open plek kruipen.

'Onze nieuwste kaprekruut', had Tuntum tot de luchtpiraat gezegd die die morgen met de levering belast

was. De luchtpiraat keek vluchtig over zijn klembord en nam Twijg van top tot teen op.

'Te groot', zei hij en wijdde zich weer aan zijn papierwerk.

Twijg staarde de luchtpiraat aan. Groot en rechtop, zag hij er schitterend uit met zijn driekantige hoed en bewerkte lederen borstplaat, zijn valschermvleugels en met was ingewreven bakkebaarden. Zijn mantel was hier en daar opgelapt, maar door de Spaanse kraag, kwasten, gouden knopen en tressen zag hij er niet minder betoverend uit.

Twijg merkte dat hij zich afvroeg wie de luchtpiraat bevochten had met dat zwaard, waarvan het heft sierlijk opgesmukt was met edelstenen – en wat de oorzaak was van die bluts in het lange, gekromde blad. Hij vroeg zich af welke wonderen de luchtpiraat had aanschouwd in zijn telescoop, welke muren hij beklommen had met de greepijzers, naar welke afgelegen gebieden het kompas hem had gebracht.

Plotseling keek de piraat opnieuw op. Hij ving Twijgs starende blik en trok zijn wenkbrauw spottend op. Twijg onderzocht zijn voeten. 'Laat me je iets vertellen', zei de piraat tot Tuntum. 'Er is altijd plaats voor een grote, jonge man op een luchtschip.'

'Nee', zei Tuntum scherp. 'Hartelijk dank voor het aanbod', voegde hij eraan toe. 'Maar, nee.'

Tuntum wist dat zijn zoon het nog geen tien minuten aan boord zou uithouden. De luchtpiraten waren wreedaardige, schaamteloze bruten. Nauwelijks hadden ze je opgemerkt of je keel was al doorgesneden. Het was alleen omdat ze zo goed betaalden voor het zweefhout van het Diepe Woud dat de woudtrollen ook maar iets met hen te maken wilden hebben.

De luchtpiraat haalde zijn schouders op. 'Het was maar een idee', zei hij en keek de andere kant op. 'Toch jammer', mompelde hij.

Terwijl Twijg zijn vader achternakroop door het Diepe Woud, dacht hij aan de schepen die hij boven zijn hoofd had zien vliegen, met bolle zeilen, zich steeds hoger verheffend in de lucht en dan wegglijdend. 'Luchtrijden', fluisterde hij, en zijn hart ging sneller slaan. Ongetwijfeld, zo dacht hij, waren er minder leuke dingen dan dat.

Maar terug in de hut, dacht Spelda er heel anders over. 'O, die luchtpiraten', gromde ze. 'Om te beginnen had Tuntum je nooit mogen meenemen naar die piraten. Nu komen ze zeker terug voor jou, zo zeker als mijn naam Spelda Rukhout is.'

'Maar de luchtpiraat die ik gezien heb, leek het niets te

kunnen schelen of ik me bij de bemanning aansloot, of niet', zei Twijg.

'Ja, die indruk geven ze altijd', antwoordde Spelda. 'Maar kijk eens wat er met Hobbelbast en Varkensmos is gebeurd. Uit hun bed gelicht en nooit meer teruggezien. O, Twijg, ik zou het nooit overleven als dit jou overkwam. Het zou mijn hart breken.'

Buiten huilde de wind door het dichte Diepe Woud. Toen de duisternis viel, vulden de geluiden van de ontwakende nachtdieren de lucht. Frompen hoestten en spuwden, quarmen piepten en de grote gabberbeer sloeg op zijn harige borst en jodelde naar zijn partner. Heel ver weg hoorde Twijg nog net het ritmische gedreun van de slachters, nog steeds hard aan het werk.

'Wat moet ik dan doen?' vroeg Twijg zacht.

Spelda snoof. 'In de nabije toekomst moet je gaan en bij Neef Snetterbast blijven', zei ze. 'We hebben hem al een bericht gestuurd, en hij verwacht je. Tot alles overgewaaid is', voegde ze eraan toe. 'Als de hemel het wil, ben je daar veilig.'

'En *daarna*?' zei Twijg. 'Daarna kan ik toch weer naar huis komen, niet?'

'Ja', zei Spelda langzaam. Twijg wist meteen dat er nog iets zou volgen.

'Maar?' vroeg hij.

Spelda beefde en drukte het hoofd van de jongen knuffelend tegen haar borst. 'O, Twijg, mijn mooie jongen', snikte ze. 'Er is nog iets dat ik je moet vertellen.'

Twijg wrikte zich los en keek naar haar bedroefde gezicht. Tranen stroomden over haar wangen.

'Wat dan, Moeder-Mijn?' vroeg hij angstig.

'O, Schemergluiperd!' vloekte Spelda. 'Wat is dit moeilijk.' Ze keek de jongen door haar tranen aan. 'Hoewel ik van je heb gehouden sinds de dag van je komst, ben je niet mijn zoon, Twijg. En Tuntum is ook je vader niet.'

Twijg staarde haar vol ongeloof aan. 'Maar... wie ben ik dan?' zei hij.

Spelda haalde haar schouders op. 'We hebben je gevonden', zei ze. 'Een klein bundeltje, gewikkeld in een sjaal, aan de voet van onze boom.'

'Mij *gevonden*', fluisterde Twijg.

Spelda knikte en leunde voorover om het troostlapje om Twijgs nek aan te raken. Twijg week terug.

'Mijn troostlapje?' zei hij. 'De sjaal?'

Spelda zuchtte. 'Een en dezelfde', zei ze. 'De sjaal waarin je gewikkeld was toen we je vonden. De sjaal waar je geen afstand van wilt doen, zelfs nu niet.'

Twijg streelde met bevende vingers de stof. Hij hoorde Spelda snuiven.

'O, Twijg', zei ze. 'Hoewel we niet je ouders zijn, hebben Tuntum en ik van je gehouden als van onze eigen zoon. Tuntum vroeg me om... vaarwel van hem te zeggen. Hij zei...' Ze stopte, overmand door verdriet. 'Hij zei me je te vertellen dat... dat, wat er ook gebeurt, je nooit mag vergeten... dat hij van je houdt.'

Nu de woorden waren uitgesproken, liet Spelda haar tranen de vrije loop. Ze jankte van ellende, en het ongecontroleerde snotteren schudde haar lichaam helemaal door elkaar.

Twijg knielde neer en sloeg zijn armen om zijn moeder. 'Dus moet ik dadelijk vertrekken', zei hij.

'Het is beter zo', zei Spelda. 'Maar je komt toch terug, Twijg? Ja, hè?' voegde ze er onzeker aan toe. 'Geloof me, mooie jongen van me, ik wilde dat ik je nooit het

eind van het verhaal had hoeven te vertellen, maar...'
'Huil maar niet', zei Twijg. 'Dit is het eind van het verhaal *niet*.'
Spelda keek op en snikte. 'Je hebt gelijk', zei ze en glimlachte dapper. 'Het is eerder een begin, is het niet? Ja,
dat is precies wat het is, Twijg. Een nieuwe start.'

HOOFDSTUK TWEE

DE ZWEEFWORM

De geluiden van het Diepe Woud galmden luid rond Twijg, die op het pad tussen de bomen door stapte. Hij huiverde, haalde zijn sjaal aan en trok de kraag van zijn lederen jas op.

Hij wilde helemaal niet vertrekken die avond. Het was donker en koud buiten. Maar Spelda was onvermurwbaar.

'Nu is altijd het beste ogenblik', herhaalde ze steeds weer, terwijl ze alles wat Twijg nodig had voor zijn reis bij elkaar zocht: een lederen fles, een touw, een kleine proviandtas en – het kostbaarst van alles – zijn eigen naamgevingsmes. Eindelijk was Twijg volwassen geworden.

'Hoe dan ook, je weet wat ze zeggen', voegde ze eraan toe, terwijl ze zich uitstrekte om de houten amuletten om de nek van haar zoon te hangen. 'Wie 's nachts vertrekt, komt overdag aan.'

Twijg wist dat Spelda zich dapper hield.

'Maar wees voorzichtig', drukte ze hem op het hart. 'Het is donker en ik weet hoe je bent: altijd maar dro-

men en lanterfanten en benieuwd zijn naar wat er achter de volgende hoek ligt.'
'Ja, mama', zei Twijg.
'En bespaar me je ja-mama's', zei Spelda. 'Dit is belangrijk. Denk eraan: ga niet van het pad af als je niet
op de verschrikkelijke Schemergluiperd wilt botsen.
Wij woudtrollen blijven *altijd* op het pad.'
'Maar ik ben geen woudtrol', mummelde Twijg, terwijl
tranen in zijn ogen prikten.
'Jij bent mijn kleine jongen', zei Spelda, hem met kus-
sen overladend. 'Blijf op het pad. Woudtrollen weten
het beter dan wie ook. Ziezo, ga nu maar, en geef een
dikke kus van me aan Neef Snetterbast. Voor je het
weet, ben je weer thuis. Alles wordt weer normaal zoals vroeger. Je zult wel zien...'
Spelda kon haar zin niet afmaken. Een waterval van
dikke tranen stroomde over haar wangen. Twijg draai-

37

de zich om en trok langs het schemerige pad de duisternis in.

Normaal! dacht hij. *Normaal!* Ik wil helemaal niet dat alles weer normaal wordt. Normaal betekent krepblaaswedstrijden. Normaal betekent bomen vellen. Normaal betekent eenzaam zijn, bij niemand horen. En waarom zou het anders zijn bij Neef Snetterbast?

Gedwongen worden een luchtschip te bemannen leek hem ineens aantrekkelijker dan ooit. De luchtpiraten zwierven door de hemelen boven het Diepe Woud. Hun luchtavonturen waren veel spannender dan wat dan ook hier beneden, dat stond buiten kijf.

Een wanhopige pijnkreet weerklonk tussen de donkere bomen. Een seconde lang was het Diepe Woud doodstil. De volgende seconde keerden de nachtgeluiden terug, veel luider dan daarnet, alsof elk afzonderlijk schepsel vierde dat het een ander wezen was dat ten prooi gevallen was aan een of ander hongerig roofdier. Twijg wandelde verder en begon namen te geven aan de creaturen die hij hoorde in het verraderlijke Diepe Woud, ver weg van het pad. Dit hielp om zijn pompende hart wat tot rust te brengen.

In de bomen boven zijn hoofd huisden piepende quarmen en kuchende frompen. Geen van deze schepsels kon een woudtrol verwonden – althans, niet dodelijk. Rechts van hem hoorde hij de kwetterende gil van een mesflits, die zich klaarmaakte om een duikvlucht te maken. Het volgende ogenblik vulde de schreeuw van zijn slachtoffer de lucht: een woudrat misschien, of een bladschrokker.

Iets verderop, met het donkere pad nog steeds voor zich uit, opende het bos zich. Twijg hield halt en staarde naar het zilveren maanlicht dat langs stammen en takken gleed, en glansde op de wasachtige bladeren. Nog nooit was hij in het bos geweest nadat de avond was gevallen en het was mooi – veel mooier dan hij zich ooit verbeeld had.

Terwijl zijn ogen staarden naar de zilveren bladeren, zette Twijg een stap vooruit, weg van het beschaduwde pad. Het maanlicht baadde hem in zijn kille licht en liet zijn huid blinken als metaal. Zijn deinende adem glom, helder als sneeuw.

'On-ge-*loof*-lijk', zei Twijg en zette nog een paar passen. Onder zijn voeten kraakte en knisperde de glinsterende, bevroren grond. Aan een treureik hingen ijskegels, en de waterdruppels van een dauwdruppelboom waren bevroren en fonkelden nu als parels. Een sprietig jong boompje wiegde in de ijskoude bries.

'Ver-*ba*-zend', zei Twijg, en zwierf verder. Nu eens links. Dan weer rechts. Een hoek om. Over een helling. Alles was zo mysterieus, zo nieuw.

Hij stopte bij een talud met trillende planten met indrukwekkende, puntige bladeren en knoppende stengels, glanzend in het maanlicht. Plotseling begonnen alle knoppen open te ploffen. Een voor een. Tot het talud helemaal bedekt was met massieve ronde bloemen – met bloemblaadjes als ijsschilfers – die hun hoofdjes naar de maan richtten, en gloeiden in haar schittering. Twijg glimlachte bij zichzelf en wendde het hoofd af. 'Nog een *ietsepietsie* verder...', zei hij.

Een tuimelstruik tuimelde rakelings langs hem en verdween in de schaduwen. Maanklokjes en rinkelbessen tingelden en tinkelden in de opkomende wind.

Toen hoorde Twijg een ander geluid. Vliegensvlug draaide hij zich om. Een klein, glanzend, harig bruin schepsel met een staart als een kurkentrekker repte zich over de woudbodem, gillend van de angst. De gil van een wouduil spleet de lucht open.

Twijgs hart sloeg op hol. Hij keek wild om zich heen. Daar, in de schaduw, blonken ogen. Gele ogen. Groene ogen. Rode ogen. En al deze ogen staarden hem aan.

'O, nee', jammerde hij. 'Wat heb ik *gedaan*?'

Twijg besefte heel goed wat hij had gedaan. 'Ga niet van het pad af', had Spelda hem bezworen. En toch was dit *precies* wat hij had gedaan. Betoverd door de zilveren schoonheid van het Diepe Woud, was hij afgedwaald van het veilige pad.

Twijg kreunde. 'Kan ik dan niets goed doen! Stom! Stom! Stom!' riep hij, wanhopig zoekend naar de weg die hem weer op het pad zou brengen. 'STO-'

Plotseling hoorde hij iets: een geluid dat zijn stem tot zwijgen bracht en hem ter plekke deed bevriezen. Het geluid was de piepende ademhaling van een stankpad – een gigantisch, gevaarlijk reptiel, waarvan de adem zo afschuwelijk was dat het dier zijn vijanden op twintig passen kon bedwelmen. Op tien meter was de stank dodelijk. Eén enkele walgelijk riekende ademstoot was voldoende geweest om Kwebbelgrofs oom te doden.

Wat kon hij doen? Waar kon hij heen? Twijg had de paden van het Diepe Woud nog nooit in zijn eentje verla-

ten. Hij liep deze kant op, stopte, snelde de andere richting uit en stopte opnieuw. Het geluid van de piepende stankpad leek hem te omsingelen. Hij dook de schaduwen in van wat donker kreupelhout en maakte zich
klein achter de stam van een hoge, bultige boom.

De stankpad kwam dichterbij. Zijn rasperige adem
klonk steeds luider. Twijgs handpalmen waren nat en
zijn mond droog; hij kon niet slikken. De frompen en
de quarmen werden stil, en in de afschuwelijke stilte
sloeg Twijgs hart als een drum. Ongetwijfeld hoorde de
stankpad dit. Misschien was hij verdwenen. Twijg
gluurde voorzichtig om de stam van de boom.

FOUT! gilde zijn brein, want Twijg staarde recht in twee
gele spleetogen
die hem vanuit
het duister be-
nieuwd aanke-
ken. Een lan-
ge, kronke-
lende tong
schoot naar
buiten, en
proefde de
lucht. Plotse-
ling zwol de
stankpad op als een
brulkikvors, klaar om zijn
giftige adem te lanceren.
Twijg sloot zijn ogen, kneep
zijn neus dicht en hield zijn lippen

stijf op elkaar gedrukt. Hij hoorde een sissend gefluit.
Het volgende ogenblik hoorde hij achter zich de gedempte plof van iets dat op de grond viel. Twijg opende angstvallig één oog en onderzocht wat het was. Op
de grond lag een fromp. Zijn harige grijpstaart kwis-
pelde in de lucht. Twijg verroerde geen vin toen de
stankpad zijn kleverige tong naar buiten schoot, de ongelukkige fromp beetnam en ermee vandoor ging in
het kreupelhout.

'Dat scheelde weinig', zei Twijg opgelucht. Hij veegde
het klamme zweet van zijn voorhoofd. *Te* weinig!'
De maan verspreidde nu een melkwit schijnsel, en de
schaduwen waren dieper. Terwijl Twijg beroerd verder
dwaalde, kleefde de duisternis als een nattige deken
aan hem. De stankpad mocht dan wel verdwenen zijn,
maar dit was nog het minste van zijn zorgen. Het feit
bleef dat hij hopeloos verdwaald was.

Vaak struikelde Twijg, en soms viel hij. Zijn haar werd
nat van het zweet, hoewel zijn beenderen tot op het
merg koud waren. Hij had er geen benul van waar hij
heen ging, hij wist nog minder waar hij geweest was.
Hij hoopte dat hij niet voortdurend in cirkels liep. Bovendien was hij doodmoe, maar telkens hij ging zitten
om wat uit te blazen, bracht een gegrom of grauw of
woest gebrul hem weer aan het lopen.

Uiteindelijk, te uitgeput om nog een stap te verzetten,
hield Twijg halt. Hij zonk op zijn knieën en sloeg zijn
ogen naar de hemel op.

'O, Schemergluiperd!' vloekte hij. 'Schemergluiperd!
Schemergluiperd!' Zijn stem weergalmde in de ijzige

nachtlucht. 'Alsjeblieft. Alsjeblieft. Alsjeblieft', huilde hij. 'Laat me het pad vinden. Had ik het pad maar niet verlaten! Help me! Help me! Help...'

'HELP!'

De noodkreet sneed als een vlijmscherp mes door de lucht. Twijg sprong overeind en spiedde om zich heen.

'HELP ME!' Het was geen echo.

De stem kwam links van Twijg. Instinctief begon hij te hollen om te zien wat hij kon doen. Maar al snel hield hij halt. Wat als het een valstrik was? Hij herinnerde zich de bloedstollende verhalen die Tuntum had verteld over woudtrollen die de dood in waren gelokt door de valse smeekbeden van de dolkhouw, een monsterlijk creatuur met veertig messcherpe klauwen. Het beest leek een gevallen houtblok – tot je erop trapte. Dan sloten zijn klauwen zich bliksemsnel, en verminderden pas hun greep als het lichaam van het slachtoffer al begon te rotten. Want de dolkhauw at alleen kadavers.

'Alsjeblieft, help me, iemand', klonk de stem opnieuw, maar deze keer veel zwakker.

Twijg kon de wanhopige hulpkreet niet langer negeren. Hij trok zijn mes – je wist maar nooit – en liep in de richting van de stem. Na nauwelijks twintig passen struikelde hij over iets dat uitstak uit een neuriënde kamstruik.

'Au!' gilde de stem.

Twijg draaide zich om. Hij had op een paar benen getrapt. De eigenaar ervan zat rechtop en keek hem woedend aan.

'Klungel!' riep hij uit.

'Het spijt me, ik...', begon Twijg.

'En staar niet zo naar me', onderbrak de ander. 'Dat is erg onbeleefd.'

'Het spijt me, ik...', begon Twijg opnieuw. Het was waar: hij *was* aan het staren. Een zuil maanlicht scheen door het bos op een jongen, en de aanblik van het roodruwe gezicht, het in vlamachtige punten geboende vette haar en de halskettingen van dierentanden sloegen Twijg met stomheid. 'Jij bent een slachter, is het niet?' vroeg hij.

Door hun bloederige uiterlijk leken – en klonken – de slachters gewelddadig. Het verhaal deed de ronde dat generaties vergoten bloed door hun poriën en in hun haarzakjes was gesijpeld. En toch, ook al was hun beroep inderdaad het slachten van de tilder waar ze jacht op maakten en de hamelhoorns die ze fokten, waren de slachters een vreedzaam volk.

Desondanks kon Twijg zijn afschuw niet verbergen. Op een toevallige reiziger door het Diepe Woud na, waren de slachters de dichtste buren van de woudtrollen. Ze dreven samen handel – gegraveerde houten objecten en manden in ruil voor vlees en lederwaren. Maar net zoals alle bewoners van het Diepe Woud, minachtten de woudtrollen ook de slachters. Ze waren, met de woorden van Spelda, de bodem van de pot. Niemand wilde iets te maken hebben met een volk dat niet alleen bloed aan de handen, maar over het hele lichaam had.

'Wel?' zei Twijg. 'Ben je een slachter?'

'En wat dan nog?' antwoordde de jongen.

'Niets, ik...' Wie verdwaald was in het Diepe Woud, kon zich niet veroorloven kieskeurig te zijn wat het gezelschap betreft. 'Ik ben Twijg', zei hij.

De jongen tikte lichtjes tegen zijn voorhoofd en knikte. 'Mijn naam is Krakkebeen', zei hij. 'Breng me alsjeblieft terug naar het dorp. Ik kan niet lopen. Kijk', zei hij, naar zijn rechtervoet wijzend.

Twijg zag zes of zeven kwaadaardige paarse littekens op de achterkant van zijn hiel. De voet was al gezwollen tot tweemaal zijn normale afmeting. En terwijl Twijg toekeek, verspreidde het gezwel zich over het hele been.

'Wat is er aan de hand?' bracht Twijg haperend uit.

'Het is... het is...'

Twijg besefte dat de jongen staarde naar iets achter hem. Hij hoorde een gesis en draaide zich vliegensvlug om. En daar, net boven de grond zwevend, was het smerigste creatuur dat Twijg ooit had gezien.

Het was lang en vol builen, met een lichtgevende, slijmgroene huid die vochtig glinsterde in het melkwitte maanlicht. Over de hele lengte van zijn lichaam puilden gele plekken uit die een heldere vloeistof afscheidden. Wriemelend en kronkelend hield het creatuur zijn gigantische koude ogen op Twijg gericht.

'Wat is dat?' fluisterde hij tot Krakkebeen.

'Een zweefworm', klonk het antwoord. 'Wat je ook doet, laat hem je niet te pakken krijgen.'

'Tegen mij maakt hij geen kans', zei Twijg dapper en greep naar zijn mes. Het was er niet. 'Mijn mes', gilde hij. 'Mijn naamgevingsmes. Ik...' En toen schoot het Twijg te binnen. Hij had het nog bij zich toen hij over Krakkebeen struikelde. Het moest ergens op de grond liggen.

Twijg staarde voor zich uit, te bang om zijn ogen ook maar een seconde van de zweefworm af te wenden. Het schepsel bleef kronkelen. Het sissende geluid kwam niet uit zijn mond, maar uit rijen buizen langs zijn onderbuik. Deze buizen stootten de lucht uit die de worm liet zweven.

Hij kwam dichterbij, en Twijg staarde ontzet naar de bek van het schepsel. De muil had rubberen lippen en slappe voelhoorns en hapte onophoudelijk naar de lucht. Plotseling gingen de lippen uit elkaar.

Twijg snakte naar adem. De bek van de zweefworm zat vol tentakels, met op het einde van elk ervan een druipende zuiger. Terwijl de kaken zich wijder opensper-

den, schoten de tentakels naar buiten en wriemelden als maden.

'Het mes', mompelde Twijg tot Krakkebeen. 'Zoek mijn mes.'

Hij hoorde Krakkebeen snuffelen door de droge bladeren. 'Ik doe mijn best', zei hij. 'Ik kan het niet... Ja,' schreeuwde hij, 'gevonden!'

'Snel!' zei Twijg wanhopig. De zweefworm trilde, klaar voor de aanval. Hij reikte achter zijn rug naar het mes. 'HAAST je!'

'Hier!' zei Krakkebeen en Twijg voelde het vertrouwde benen heft in zijn hand. Hij sloot zijn hand erom, en knarste met de tanden.

De zweefworm slingerde heen en weer in de lucht en sidderde over zijn hele lijf. Twijg wachtte. En toen, zonder waarschuwing, sloeg de worm plotseling toe. Hij vloog op Twijgs nek af, met wijdopen gesperde muil en gespannen tentakels. Een stank van ranzig vet ver-

spreidde zich. Verschrikt sprong Twijg achteruit. De zweefworm veranderde hangend in de lucht plotseling van richting en viel hem van achteren aan. Twijg dook weg.

Het schepsel schoot boven zijn hoofd, hield sissend halt, kronkelde zich, en viel opnieuw aan.

Deze keer kwam het van recht voor hem – net zoals Twijg had gehoopt. Toen de tentakels van de worm op het punt stonden zich vast te bijten in zijn nek, draaide Twijg om zijn as en stootte vooruit. Het mes plantte zich in de zachte onderbuik van de worm en reet de rij luchtbuizen open.

De gevolgen waren ogenblikkelijk. Zoals een opgeblazen ballon waarvan de lucht wordt vrijgelaten, tolde het creatuur wild door de lucht met een luid *thpthpthpthpppppp*. Toen ontplofte het en een massa kleine, slijmerige fragmentjes gele en groene huid dwarrelde op de grond.

'YEAH', brulde Twijg en sloeg met zijn vuist in de lucht. 'Ik kwam, zag en overwon! De zweefworm is zo dood als een pier!'

Terwijl hij praatte, steeg drakenrook op uit zijn mond.

De nacht was koud geworden door een ijzige noorden-
wind. Maar Twijg had het helemaal niet koud. Een
gloed van trots en opwinding zette zijn lichaam in
vuur en vlam.

'Hel' me', hoorde hij een stem achter zich. Het klonk
vreemd – alsof Krakkebeen praatte met volle mond.

'Alles is oké', zei Twijg en kroop overeind. 'Ik... Krakkebeen!' gilde hij.

De slachter was nauwelijks herkenbaar. Voor Twijgs
gevecht met de zweefworm was alleen de voet van
Krakkebeen gezwollen geweest. Maar nu was zijn hele
lichaam opgezwollen. Hij leek een reusachtige, don-
kerrode bal.

'Bre' me na' huis', mompelde hij verdrietig.

'Maar ik weet helemaal niet waar je huis is', zei Twijg.

'Da' too' ik je', zei Krakkebeen. 'Tre' me o'. Ik ze' je waarhee'.'

Twijg knielde neer en nam de slachter in zijn armen. Hij was verrassend licht.

Twijg begon te stappen. 'Li"', zei Krakkebeen na een tijdje, gevolgd door 'No' eens li'. Re'. Re'do'.' Krakkebeen bleef maar zwellen, zodat ook de eenvoudigste woorden onmogelijk werden. Uiteindelijk moest hij zijn propperige hand in Twijgs schouder duwen om de richting aan te geven.

Was Twijg voorheen in cirkeltjes gelopen, dan deed hij dit nu zeker niet. Hij werd recht naar iets nieuws geleid.

'WOBBLOB!' gilde Krakkebeen. 'BLOBBERWOBBER!'

'Wat?' zei Twijg scherp. Maar terwijl hij sprak, besefte hij wat er gaande was. Krakkebeens lichaam, dat heel licht was toen hij het optilde, was nu *minder* dan gewichtloos. Nog eventjes en de massieve, bolle massa zweefde zomaar weg.

Hij probeerde Krakkebeen uit alle macht bij zijn middel vast te grijpen – althans, de plek waar ooit zijn middel had gezeten – maar het was onmogelijk. Het was net alsof je een zak water vasthoudt: met dit verschil dat deze zak *omhoog* probeerde te vallen. Liet hij los, dan verdween Krakkebeen in de lucht.

Twijg veegde het zweet van zijn voorhoofd. Toen klemde hij de opgeblazen jongen tussen twee takken, erop lettend dat er geen doornen op de boom zaten. Hij wil-

de niet dat Krakkebeen openbarstte. Hij haalde het touw dat
Spelda hem had meege-
geven van zijn schou-
der, knoopte het ene
uiteinde aan Krakke-
beens been, en het an-
dere rond zijn eigen
middel – en vervolgde
zijn tocht.

Maar het duurde niet lang
of Twijg zat al opnieuw in
moeilijkheden. Met elke stap
die hij zette, groeide de opwaartse trekkracht. Het werd steeds
lastiger om op de grond te
blijven. Hij greep de takken van de struiken waar
hij langs ging stevig
beet, als een soort an-
ker. Maar dat
haalde niets
uit. De slach-
ter trok sim-
pelweg te
hard.

Plotseling werden
Twijgs benen van de grond ge-
tild, zijn handen moesten de takken loslaten, en samen
met Krakkebeen zweefde hij de lucht in.

Hoger en hoger gingen ze, in de ijzige nacht en naar de open hemel. Twijg rukte vergeefs aan het rond zijn middel vastgeknoopte touw. Hij kreeg er geen beweging in. Hij staarde naar de snel terugwijkende grond, en terwijl hij dit deed, schoot hem iets te binnen – iets vreselijks.

Krakkebeen zou worden gemist. Als hij niet terugkeerde, zouden zijn familie en vrienden op zoek naar hem gaan. Maar Twijg had gedaan wat woudtrollen nooit deden. Hij was van het pad afgeweken. Niemand zou hem ooit zoeken.

HOOFDSTUK DRIE

DE SLACHTERS

Terwijl Twijg steeds hoger de koude, donkere lucht in zweefde, boorde het touw zich pijnlijk in zijn ribben. Hij snakte naar adem, en voelde hoe een vreemde vleug bijtende rook zijn hoofd vulde. Het was een mengeling van houtrook, leer en een prikkelende geur die Twijg niet herkende. Boven hem knorde Krakkebeen aanhoudend.

'Naderen we jouw dorp?' vroeg Twijg.

Krakkebeen knorde opnieuw, deze keer met meer aandrang. Plotseling, tussen de takken, kreeg Twijg flikkerende vlammen en bloedrode rook in het oog. Daar brandde een vuur, nog geen twintig passen van hen vandaan.

'Help!' brulde Twijg. 'HELP ONS!'

Bijna meteen troepte een zwerm bloedrode slachters onder hen samen, elk een brandende toorts in de hand.

'HIER OMHOOG!' gilde Twijg.

De slachters richtten hun blik omhoog. Een van hen wees. Toen, zonder één woord te spreken, kwamen ze in actie. Kalm en methodisch namen ze de touwen af

die rond hun schouders hingen, en
maakten aan het ene uiteinde
schuifknopen. Daarna, met hetzelfde bedaarde gevoel voor
efficiëntie, begonnen ze de lasso's in de lucht te
slingeren.

Twijg kreunde toen de touwen hun doel misten en weer naar beneden tuimelden. Hij spreidde zijn benen wijd open en stak zijn voeten uit, gehaakt en stijf. De slachters ondernamen een tweede poging, maar omdat Krakkebeen hem steeds hoger trok, werd hun opdracht met de seconde moeilijker.

'Kom op', bromde Twijg ongeduldig, terwijl de slachters steeds opnieuw probeerden een van zijn voeten met hun lasso's te vangen. Boven hem hoorde hij gedempte kreten toen Krakkebeens opgeblazen lichaam door de hoogste takken werd geperst. Het volgende ogenblik stootte ook Twijgs hoofd tegen het dichte, groene bladerdak. De geknakte bladeren verspreidden een overdadige aardegeur.

Hoe zal het eruitzien? vroeg Twijg zich af. *Boven* het Diepe Woud. In het rijk der luchtpiraten.

Voor hij de kans had dit te weten te komen, voelde hij iets op zijn gehaakte voet landen en zich rond zijn enkel spannen. Eindelijk had een van de touwen doel getroffen. Er volgde een stevige ruk aan zijn been, daarna nog een en nog een. De bladeren sloegen in zijn gezicht, en de aardegeur werd sterker.

Plotseling zag hij diep onder hem de grond – en zijn voet met de lus van het touw rond zijn enkel. Een twintigtal slachters hield het andere eind stevig beet. Langzaam, met korte rukjes, haalden ze het touw binnen.

Toen Twijgs voet uiteindelijk de grond raakte, hadden de slachters alleen oog voor Krakkebeen. Muisstil deden ze hun touwen rond zijn armen en benen, en grepen hem stevig beet. Toen pakte een van hen zijn mes en sneed het touw rond Twijgs borst doormidden. En Twijg was vrij. Hij haalde dankbaar diep adem.

'Dank je', hijgde hij. 'Veel langer kon ik het niet meer uithouden. Ik...' Hij keek op. Met de immense massa Krakkebeen zwevend boven hun hoofden, was de hele groep slachters huiswaarts getrokken. Twijg hadden ze achtergelaten. En tot overmaat van ramp begon het zachtjes te sneeuwen.

'Hartelijk dank', snoof hij verachtelijk.

'Ze maken zich zorgen, meer niet', klonk een stem achter hem. Twijg draaide zich om. Daar stond een slachtermeisje. Haar gezicht lichtte op in het flikkerende schijnsel van haar toorts. Ze raakte haar voorhoofd aan, en glimlachte. Twijg beantwoordde haar glimlach. 'Ik heet Zeen', zei ze. 'Krakkebeen is mijn broer. Hij was al drie nachten vermist.'

'Denk je dat hij het haalt?' vroeg Twijg.

'Als ze hem een tegengif kunnen toedienen voor hij explodeert.'

'Explodeert!' schreeuwde Twijg, en probeerde zich niet in te beelden wat er gebeurd zou zijn als ze in de lucht waren gebleven.

Zeen knikte. 'Het vergif verandert in hete lucht. En een persoon kan maar een bepaalde hoeveelheid hete lucht hebben', voegde ze er grimmig aan toe. Achter haar weerklonk het geluid van een gong. 'Kom', zei ze. 'Je ziet er hongerig uit. Het is tijd voor de lunch.'

'Lunch?' zei Twijg. 'Maar het is middernacht.'

'Natuurlijk', zei Zeen verward. 'Of eet jij je lunch 's middags misschien?' zei ze en lachte.

'Euh, ja', zei Twijg. 'Eigenlijk wel.'

Zeen schudde haar hoofd. 'Wat ben jij een vreemde snuiter!' zei ze.

'Nee', gniffelde Twijg terwijl hij haar door de bomen volgde. 'Ik ben Twijg!'

Toen het dorp voor hen opdook, hield Twijg halt en staarde. Alles was zo anders dan in zijn eigen dorp. De slachters woonden in logge hutten, en niet in boomhutten. En terwijl voor de hutten van de woudtrollen fikhout werd gebruikt wegens zijn zwevende eigenschappen, hadden de slachters hun hutten gebouwd van dik loodhout, dat ze stevig in de grond verankerden. De huisjes hadden geen deur, enkel gordijnen van dikke hamelhoornhuiden, die niet bedoeld waren om de buren buiten te houden, maar luchtstromen.

Zeen leidde Twijg naar het vuur dat hij door de hoge takken opgemerkt had. Het was een gigantisch groot, heet vuur, dat brandde op een verheven cirkelvormig stenen platform pal in het midden van het dorp. Twijg keek verwonderd achter zich. Hoewel, buiten het dorp, de sneeuw dikker dan ooit viel, landde er geen vlokje in het dorp. De warme koepel afkomstig van het laaiende vuur was zo hevig dat de sneeuw smolt nog voor hij de grond raakte.

Vier lange schraagtafels, gedekt voor de lunch, vormden een vierkant rond het vuur. 'Ga maar zitten waar je wilt', zei Zeen, terwijl ze zelf neerplofte.

Twijg ging naast haar zitten en staarde voor zich uit naar de razende vlammen. Hoewel het vuur hevig brandde, bleef elk houtblok netjes op de grond.

'Waar denk je aan?' hoorde hij Zeen zeggen.

Twijg zuchtte. 'Waar ik vandaan kom', zei hij, 'verbranden we zweefhout – fikhout, wiegeliedhout. Het brandt heel goed, maar je hebt een kachel nodig. Ik heb... ik heb nog nooit een vuur buiten zien branden, zoals dit.'

Zeen keek bezorgd. 'Wil je liever naar binnen gaan?'

'Nee!' zei Twijg. 'Dat bedoelde ik helemaal niet. Dit is aardig. Thuis – wel, waar ik werd opgevoed – trekt iedereen zich in zijn hut terug wanneer het koud is. Het kan er heel eenzaam zijn wanneer het slecht weer is.'

Twijg voegde er niet aan toe dat hij er zich de rest van de tijd ook heel eenzaam voelde.

Nu waren alle banken bezet, en aan de overkant werd al de eerste gang geserveerd. Pas toen een overheerlijk aroma zijn neusgaten prikkelde, besefte Twijg hoe hongerig hij was.

'Die geur herken ik', zei hij. 'Wat is het?'

'Tilderworstensoep, denk ik', antwoordde Zeen.

Twijg glimlachte in zichzelf. Natuurlijk. De soep was een delicatesse waar volwassen woudtrollen van smulden op Wodgiss Nacht. Elk jaar vroeg hij zich af hoe die smaakte. Nu zou hij het eindelijk zelf kunnen proeven.

'Haal je elleboog weg, liefje', weerklonk een stem achter hem. Twijg keek om. Een oude dame stond achter hem met een soeplepel in haar rechterhand en een ronde kom in haar linkerhand.

Toen ze Twijg zag, stapte ze verschrikt achteruit, verdween haar glimlach en slaakte ze een gilletje. 'Een spook', bracht ze ontzet uit.

'Maak je geen zorgen, Gram-Tatum', zei Zeen. 'Dit is Twijg. Hij komt van Buiten. Hij is het die we moeten danken voor het redden van Krakkebeens leven.'

De oude vrouw staarde Twijg aan. '*Jij* was het die Krakkebeen weer bij ons bracht?' zei ze.

Twijg knikte. De oude vrouw raakte haar voorhoofd aan en boog. 'Welkom', zei ze. Daarna hief ze haar beide armen hoog naar de hemel en sloeg met de soeplepel hard op de soepkom. 'Stilte!' schreeuwde ze. Ze klom op de bank en keek naar het vierkant verwachtingsvolle gezichten. 'In ons midden hebben we een dappere jongeman, die luistert naar de naam Twijg. Hij heeft onze Krakkebeen gered en bij ons teruggebracht. Ik wil dat jullie allemaal het glas heffen en hem welkom heten.'

Alle slachters – jong en oud – aan de tafel stonden op, raakten hun voorhoofd aan en riepen uit: 'Welkom, Twijg.'

Twijg keek verlegen omlaag. 'Het stelde niets voor', mompelde hij.

'En nu', zei Gram-Tatum, terwijl ze weer van de bank klom, 'wed ik dat je honger hebt. Smullen maar, liefje', zei ze terwijl ze de soep in zijn kom lepelde. 'En laat ons eens zien of we wat kleur krijgen op die bleke wangen van je', voegde ze eraan toe.

De tilderworstensoep smaakte net zo heerlijk als ze geroken had. Gesudderd tot de worsten zacht waren en op smaak gebracht met nibbel en oranjegras, smaakte de soep vol en pikant. Het was ook nog maar het begin. Daarna volgden sappige hamelhoornsteaks, gerold in

63

gekruide knotwortelbloem en gefrituurd in tilderolie,
begeleid door aardeappels en een pittige blauwe sla.
Als dessert stond op het menu: honingtoetje en blanc-
manger van valleibessen en kleine in stroop gedrenkte
wafelkoekjes. Twijg had nog nooit zo heerlijk gesmuld
– noch zoveel gedronken. In het midden van elk van de
vier tafels stond een grote kan boordevol woudappel-
cider, en Twijgs beker was nooit leeg.

Naarmate de maaltijd vorderde, werd de sfeer steeds
wilder. De slachters vergaten dat ze een gast hadden,
en de lucht – die al warm was door het gloeiende vuur
– werd nog heter, met gelach en gegrol, met het vertellen van verhalen en de plotselinge uitbarstingen van
gezangen. En toen Krakkebeen zelf op het toneel verscheen, blijkbaar niet geschokt door zijn hachelijk
avontuur, werd iedereen gek!

Ze juichten, ze klapten, ze schreeuwen en floten, hun
blozende gezichten gloeiden in het schitterende vuur-
schijnsel. Drie mannen sprongen overeind en tilden
Krakkebeen op hun schouders, en terwijl ze met hem
paradeerden, sloegen de andere slachters met hun bekers op tafel en zongen met hun diepe en stroperige
stemmen een eenvoudig lied.

> 'Welkom thuis verdwaald slachterkind
> Welkom als een vreemde vrind
> Welkom thuis uit 't bos diep en groot
> Welkom thuis uit gevaar en nood.'

Steeds opnieuw herhaalden ze het versje – niet alle-

maal in koor, maar als een rondzang, waarbij elke tafel zijn beurt afwachtte om te beginnen met zingen. De lucht was gevuld met wervelende harmonieën, mooier dan Twijg ooit had gehoord. Hij kon het niet weerstaan en viel in. Hij sloeg met zijn eigen beker ritmisch op de tafel, en begon al snel met de anderen mee te zingen.

Na de derde ronde kwamen de mannen dichter bij Twijg. Ze stopten vlak achter hem, en zetten Krakkebeen op de grond. Twijg stond op en keek de slachterjongen aan. Iedereen zweeg. Toen, zonder ook maar één woord te uiten, raakte Krakkebeen zijn voorhoofd aan, stapte plechtig voorwaarts en raakte Twijg op *zijn* voorhoofd aan. Op zijn gezicht verscheen een brede glimlach. 'Nu zijn we broers.'

Broers! dacht Twijg. Was het maar zo. 'Dank je, Krakkebeen, maar... Whoooah!' schreeuwde hij, toen hij op de schouders van de mannen werd gezwierd.

Gevaarlijk van links naar rechts slingerend, glimlachte Twijg, grinnikte daarna, en barstte ten slotte in lachen uit terwijl de mannen hem een-, twee-, drie- en viermaal rond de tafels droegen, steeds sneller. Hij keek duizelig neer op de rode vlek van gelukkige gezichten die terug naar hem straalden. Hij wist dat hij zich nergens zo welkom gevoeld had als nu, hier in deze haard van warmte en vriendelijkheid, het thuis van de slachters uit het Diepe Woud. Wat zou het heerlijk zijn, dacht Twijg, als ik hier kon blijven.

Toen weergalmde de gong voor de tweede keer. De drie slachters stopten abrupt met lopen, en Twijg voelde opnieuw de aarde onder zijn voeten.

'Klaar met lunchen', verklaarde Zeen terwijl de slachters allen uit hun banken sprongen en, nog steeds zingend en lachend, weer aan het werk gingen. 'Wil je eens rondkijken?' vroeg ze.

Twijg onderdrukte een geeuw en glimlachte schaapachtig. 'Ik ben niet gewend nu nog wakker te zijn', zei hij.

'Maar het is middernacht', zei Krakkebeen. 'Hoe kun je dan slaap hebben?!'

Twijg glimlachte. 'Ik ben al de hele dag wakker', zei hij. Zeen wendde zich tot haar broer. 'Als Twijg wil slapen...'

'Nee, nee', zei Twijg vastberaden. 'Ik zou dolgraag eens een kijkje nemen.'

Eerst lieten ze hem de hamelhoornkooien zien. Twijg
stond op de onderste balk en keek naar de ruigbehaar-
de beesten met hun krullende hoorns en droevige blik
in de ogen. Verveeld stonden ze te kauwen. Twijg leunde voorover en klopte een van de dieren op zijn nek.
De hamelhoorn schudde met een ruk van zijn gehoornde kop geïrriteerd de hand weg. Geschrokken
trok Twijg dadelijk zijn hand terug.

'Ze zien er misschien tam uit,' verklaarde Zeen, 'maar
hamelhoorns zijn heel onvoorspelbare dieren. Je mag
ze geen minuut de rug toekeren. Die hoorns zijn heel
pijnlijk!'

'*En* ze zijn lomp', voegde Krakkebeen eraan toe. 'Daarom moeten we allen dikke laarzen dragen.'
'We hebben een gezegde', zei Zeen. '"De glimlach van

een hamelhoorn is als de wind" – je weet nooit wanneer die verandert.'

'Maar ze smaken overheerlijk!' zei Krakkebeen.

In de rokerij zag Twijg rij na rij tilderkarkassen opgehangen aan haken. Een grote oven, gevoed door roodeikspaanders, produceerde een diep karmozijnrode rook waaraan de tilderham haar specifieke smaak dankte. Het was deze rook, eerder dan het bloed, die de huid van de slachters kleurde.

Geen enkel stukje tilder ging verloren. De beenderen werden gedroogd en gebruikt als hout; het vet was bestemd om te koken, voor olielampen en kaarsen, en om de tanden van scharnieren te smeren; de ruwe huid werd gedraaid tot touwen, en van het gewei werden allerlei voorwerpen gekerfd – van bestek tot handvatten voor kasten. Maar het kostbaarste deel van het dier was het leer.

'Hier wordt de huid gestompt', zei Krakkebeen.

Twijg keek hoe mannen en vrouwen met rode gezichten op de huiden klopten met grote, ronde stenen. 'Ik heb dat geluid vroeger al gehoord', zei hij. 'Wanneer de wind uit het noordwesten blaast.'

'Zo wordt de huid zachter', verduidelijkte Zeen, 'en valt ze gemakkelijker te modelleren.'

'En dit', wees Krakkebeen, 'zijn de looivaten. Daarvoor gebruiken we alleen de fijnste loodhoutstammen', voegde hij er trots aan toe.

Twijg rook aan de stomende vaten. Het was de geur die hem bereikt had toen ze boven het dorp vlogen.

'Daarom is ons leer zo geliefd', zei Zeen.

'Het beste leer in het hele Diepe Woud', zei Krakkebeen. 'Zelfs de luchtpiraten maken er gebruik van.'

Twijg draaide zich om. 'Drijven jullie handel met de luchtpiraten?' vroeg hij.

'Onze beste klanten', zei Krakkebeen. 'Vaak komen ze niet, maar als ze ons bezoeken, nemen ze alles mee wat we hun aanbieden.'

Twijg knikte, maar zijn gedachten vertoefden ergens anders. Opnieuw zag hij zichzelf staan op de voorsteven van een piratenschip, met wapperende haren in het maanschijnsel, zeilend door de hemel.

'Verwacht je ze spoedig weer?' vroeg hij ten slotte.

'De luchtpiraten?' zei Krakkebeen, en schudde zijn hoofd. 'Ze zijn hier nog niet zo lang geleden geweest. Het duurt nog wel een tijd voor ze nog eens komen.'

Twijg zuchtte. Plotseling voelde hij zich ontzettend moe. Zeen merkte dat zijn oogleden zwaar werden. Ze nam hem bij de arm.

'Kom', zei ze. 'Je moet wat rusten. Ma-Tatum weet waar je kunt slapen.'

Deze keer stribbelde Twijg niet tegen. Doodop volgde hij Zeen en Krakkebeen naar hun hut. In de hut was een vrouw iets in een rode kom aan het mixen. Ze keek op. 'Twijg!' zei ze en veegde haar handen aan haar schort af. 'Ik ben blij je te zien.' Ze schoffelde naar hem en sloot hem in haar korte, dikke armpjes. De bovenkant van haar hoofd drukte tegen Twijgs kin.

'Dank je, Blekeling', snikte ze. 'Dank je zo vreselijk veel.' Toen trok ze zich terug en bette haar ogen met de hoek van haar schort. 'Let maar niet op mij', snifte ze.

'Ik ben maar een dom, oud vrouwtje...'

'Ma-Tatum', zei Zeen. 'Twijg moet slapen.'

'Dat zie ik zelf ook wel', zei ze. 'Ik heb al wat extra beddengoed in de hangmat gelegd. Maar eerst zijn er twee belangrijke zaken die ik...' Ze begon verwoed te rommelen in een kleerkast, en de lucht was spoedig doordrongen van dingen die ze *niet* zocht. 'Ah, hebbes!' riep ze uiteindelijk uit en overhandigde Twijg een groot, harig vest. 'Trek dat eens aan', zei ze.

Twijg trok het vest over zijn leren jas. Het zat hem als gegoten. 'Het is zo warm', zei hij.

'Het is een vest gemaakt van hamelhoornhuid', vertelde ze hem, terwijl ze de houtjes aan de voorkant vastmaakte. 'Onze specialiteit', voegde ze eraan toe, 'en niet te koop.' Ze schraapte haar keel. 'Twijg,' zei ze, 'ik zou willen dat je dit vest aanvaardt als teken van dank voor het gezond en wel terugbrengen van mijn Krakkebeen.'

Twijg wist niet wat te zeggen. 'Dank je', bracht hij ten slotte uit. 'Ik...'

'Streel ze', zei Krakkebeen.

'Wat?' vroeg Twijg.

'Streel ze', herhaalde hij en giechelde opgewonden.

Twijg gleed met zijn palm over de wollige huid. Ze was zacht en dik. 'Heel fijn', zei hij.

'Nu in de andere richting', drong Krakkebeen aan.

Twijg deed wat hem gevraagd werd. Deze keer gingen de haren van de huid recht overeind staan en verstijfden. 'YOW', gilde hij, en Krakkebeen en Zeen barstten in lachen uit. 'Net naalden', zei Twijg, zuigend op zijn pijnlijke hand.

'Dood of levend, streel nooit een hamelhoorn in de verkeerde richting', gniffelde Ma-Tatum. 'Ik ben blij dat mijn geschenk je bevalt', ging ze verder. 'Moge het je goed van pas komen.'

'Dat is erg aardig van u...' begon Twijg, maar Ma-Tatum was nog niet klaar.

'En dit zal je beschermen tegen onvoorziene gevaren', zei ze, terwijl ze een leren amulet om zijn nek hing.

Twijg meesmuilde. Alle moeders, dacht hij, waren bijgelovig, waar ze ook leefden.

'Haal die spotlach maar van je gezicht', zei Ma-Tatum scherp. 'Ik zie aan je ogen dat je nog heel wat te leren hebt. Daarbuiten loert er overal gevaar. En hoewel er voor elk gif een tegengif bestaat,' voegde ze eraan toe en glimlachte naar Krakkebeen, 'is het afgelopen met je als je in de klauwen van de Schemergluiperd valt.'

'De Schemergluiperd?' zei Twijg. 'Ik ken de Schemergluiperd.'

'Het afschuwelijkste wezen dat er bestaat', zei Ma-Tatum met lage, schorre stem. 'Het houdt zich schuil in de schaduwen. Het besluipt ons, slachters, schat zijn slachtoffer en slaat plotseling, genadeloos, toe.'

Nerveus kauwde Twijg op het puntje van zijn sjaal. Het was dezelfde Schemergluiperd die ook de woudtrollen zoveel angst inboezemde – dat monsterlijke beest dat woudtrollen die van het pad afweken naar een onvermijdelijke dood lokte. Maar dat was alleen in verhaaltjes, ja toch? Hoe dan ook, Twijg rilde van angst terwijl Ma-Tatum verder vertelde.

'De Schemergluiperd verslindt zijn slachtoffer terwijl zijn hart nog steeds klopt', fluisterde ze, met bijna onhoorbare stem. 'GOED!' kondigde ze luid aan en klapte met haar handen.

Twijg, Zeen en Krakkebeen sprongen allen overeind.

'Ma-aa!' klaagde Zeen.

'Wel!' zei Ma-Tatum streng. 'Die jongelui. Altijd maar spotten en ginnegappen.'

'Ik wilde helemaal niet...', begon Twijg, maar Ma-Tatum bracht hem met een wuifgebaar van haar bloedrode hand tot zwijgen.

'Onderschat het Diepe Woud *nooit*', waarschuwde ze hem. 'Doe je het toch, dan is het in minder dan vijf minuten afgelopen met je.' Toen leunde ze voorover en greep zijn hand liefdevol vast. 'Ga nu maar slapen', zei ze.

Twijg liet het zich geen twee keer zeggen. Hij volgde Krakkebeen en Zeen de hut uit, en kruiste samen met hen het dorpsplein naar de gemeenschappelijke hangmatten. Opgehangen tussen de stammen van een driehoek dode bomen, schommelden de hangmatten zachtjes heen en weer. Twijg was intussen zo moe geworden dat hij nauwelijks zijn ogen kon openhouden. Hij volgde Krakkebeen een ladder op die aan een van de bomen was vastgesjord.

'Dit is onze hangmat', zei de slachter toen ze de bovenste mat hadden bereikt. 'En daar ligt je beddengoed.'

Twijg knikte. 'Dank je', zei hij. De sprei die Ma-Tatum voor hem had klaargelegd, lag bijna helemaal aan de andere kant. Twijg zwalkte over de hangmat en draaide zich in de deken. Het volgende ogenblik was hij in een diepe slaap verzonken.

Twijg merkte niets van de opkomende zon, noch van het geluid van de steen die over de grond werd gesleept tot het vuur pal onder de matten was. En toen ook Krakkebeen en Zeen en de rest van de Tatum-familie gingen slapen, merkte Twijg niets toen ze de reusachtige hangmat in klommen en om hem heen gingen liggen.

Twijg gleed in een rode droom. Hij danste met rode mensen in een gigantische rode zaal. Het voedsel was rood, de drank was rood – zelfs de door de ramen binnenstromende zon was rood.

Het was een prettige droom. Een warme droom. Tot het fluisteren begon.

'Heel gezellig, heel fijn', siste het. 'Maar dit is niet waar je hoort, is het niet?'

In zijn droom speurde Twijg rond. Een akelige, in een kapmantel gehulde figuur sloop weg achter een zuil en kraste met een lange, scherpe vingernagel over het rode oppervlak. Twijg stapte behoedzaam vooruit. Hij staarde naar de kras in het hout: het bloedde als een open wond. Ineens weerklonk het gefluister vlak bij zijn oor.

'Ik ben er nog steeds', hoorde Twijg. 'Ik ben er *altijd*.'

Twijg draaide zich bliksemsnel om. Niemand te zien.

'Jij malle, dwaze idioot', sprak de stem opnieuw. 'Wil je ontdekken wie je bent, dan moet je *mij* volgen.'

Twijg staarde in ontzetting toen een benige hand met gele klauwen uit de vouwen van de mantel priemde, zich uitstrekte en zijn kap aantikte. Straks zou zijn gezicht worden onthuld. Twijg probeerde weg te komen, maar kon niet bewegen.

Plotseling bracht het creatuur een akelige, kakelende lach uit en liet zijn hand zakken. 'Je zult me snel genoeg leren kennen', siste het, en leunde samenzweerderig naar Twijg.

Twijgs hart sloeg bijna op hol. Hij voelde de warme adem van het schepsel tegen zijn oor, en rook de zwavelige, muffe geur die uit de kapmantel opsteeg.

'WAKKER WORDEN!'

De plotselinge gil explodeerde in Twijgs hoofd. Hij schoot angstig rechtop, opende zijn ogen en keek verward om zich heen. Het was licht en hij bevond zich ergens hoog in de lucht, liggend op iets zachts. Naast hem zag hij roodhuidige individuen, die allen zachtjes snurkten. Hij keek naar Krakkebeens gezicht, in een vredige slaap, en alles kwam terug.

'Opstaan, OPSTAAN, daarboven', hoorde hij.

Twijg keek over de rand van de hangmat. Diep onder hem zag hij een slachter – de enige die nog wakker was. Hij was het vuur aan het stoken.

'Was jij dat?' riep Twijg in de diepte.

De slachter tikte licht tegen zijn voorhoofd en knikte. 'Ma-Tatum vroeg me ervoor te zorgen dat je niet de hele dag sliep, Meester Twijg', schreeuwde hij terug. 'Want jij bent een wezen van de zon.'

Twijg keek naar de hemel. De zon had bijna haar hoogste punt bereikt. Hij kroop zo stil mogelijk, om niemand van de slapende familie wakker te maken, op handen en voeten naar het eind van de hangmat en klom de ladder af.

'Zo is het, Meester Twijg', zei de slachter, die zijn hand uitstak om hem van de onderste sport te helpen. 'Je hebt een lange reis voor de boeg.'

Twijg fronste. 'Maar ik dacht dat ik een tijdje kon blijven', zei hij. 'Het bevalt me hier opperbest en Neef Snetterbast zal me niet missen. Althans, voorlopig niet...'

'Hier blijven?' zei de slachter met spottende stem. 'Hier blijven? O, jij zou hier helemaal niet passen. Ma-Tatum vertelde me deze morgen nog wat een klungelig, klein jongetje je bent, zonder ook maar een greintje gevoel voor leer...'

'Zei Ma-Tatum dat?' Twijg slikte de brok in zijn keel in. 'Maar ze schonk me dit vest', zei hij, het licht aanrakend. De vacht verstijfde en ging overeind staan.

'Au!' gilde hij.

'O, dat', zei de slachter. 'Dat heeft helemaal niets te betekenen. Gewoon een oud vest. Normaal kun je die niet weggeven', voegde hij eraan toe met een spijtig lachje. 'Nee. Ga jij maar terug naar je soortgenoten. Het pad dat je moet volgen, ligt daar.'

De slachter wees naar het bos. Terwijl hij dit deed, steeg een vlucht grijze vogels met veel lawaai de lucht in.

'Dat doe ik zeker!' zei Twijg. Zijn ogen traanden, maar hij wilde niet huilen – niet waar deze kleine man met zijn rode gezicht en vurige haar bij stond.

'En kijk uit voor de Schemergluiperd', riep de slachter hem met nasale, spottende stem na toen Twijg de bomen bereikte.

'Ik kijk uit voor de Schemergluiperd, reken maar', mompelde Twijg. 'En voor bekakte slachters die je het ene ogenblik als een held behandelen en het volgende als een bastslak!'

Hij draaide zich om om dit met zoveel woorden te zeggen, maar de slachter was al verdwenen. Twijg stond er opnieuw alleen voor.

HOOFDSTUK VIER

DE DOODSKOPKWANT

Terwijl het woud, groen, schaduwrijk en verboden, zich opnieuw rond hem sloot, voelde Twijg bang aan de talismannen en amuletten rond zijn hals. Als er een machtig kwaad huisde in het Diepe Woud, zouden deze kleine stukjes hout en leer dan voldoende zijn om het op een afstand te houden?

'Hopelijk hoef ik het nooit te weten te komen', mompelde Twijg.

Twijg wandelde steeds verder. De bomen zagen er vreemder en vreemder uit. Sommige hadden naalden, andere zuigers, en weer andere ogen. Maar in Twijgs ogen waren ze allemaal even gevaarlijk. Sommige waren zo dicht op elkaar gegroeid dat Twijg, ondanks hun afschuwelijke uiterlijk, geen andere keus had dan zich door hun knoestige stammen te wringen.

Voortdurend vervloekte Twijg zijn lichaam en gestalte. Anders dan de kleine woudtrollen en slachters of de sterke gabberbeer, was hij helemaal niet gemaakt voor een leven in het Diepe Woud.

En toch, toen deze bomen plotseling veel minder dicht

bij elkaar stonden, sloeg de angst Twijg nog meer om het hart. Nergens kon hij het beloofde pad bespeuren. Steeds weer gluurde hij over zijn schouder, speurend naar een of ander beest met kwade bedoelingen, terwijl hij zich zo snel mogelijk repte over de wijde, gespikkelde open plek en opnieuw tussen de bomen. Maar behalve een klein, harig wezentje met geschubde oren dat naar hem spuwde, leek geen enkele inwoner van het Diepe Woud geïnteresseerd in de slungelachtige jongeling die door hun domein racete.

'Als ik blijf lopen, kom ik straks ongetwijfeld op het pad', pompte hij zichzelf moed in. 'Ongetwijfeld', herhaalde hij, en schrok door de weinig overtuigende toon van zijn eigen stem.

Plotseling hoorde hij een niet vertrouwd, schril geluid door de lucht echoën. Deze schreeuw werd beantwoord door een tweede gil links van hem, en toen een derde rechts.

Wat *ze* zijn weet ik niet, dacht Twijg. Maar het lawaai dat ze maken, stelt me allerminst gerust.

Hij bleef rechtdoor wandelen, maar versnelde nu zijn pas. Dikke zweetdruppels parelden op zijn voorhoofd. Hij beet op zijn onderlip en zette het op een lopen. 'Ga weg,' fluisterde hij, 'laat me met rust!'

Alsof ze zijn smeekbede hadden gehoord, klonken de schrille schreeuwen steeds luider en dichter. Met zijn hoofd diep tussen zijn schouders en zijn armen opgestoken, holde Twijg zo snel hij kon. Hij denderde door het onderhout. Kruipers haalden uit naar zijn lichaam. Doornen schramden zijn hoofd en handen. Slingerende takken versperden hem de weg, alsof ze probeerden hem beentje te lichten of bewusteloos te slaan. En intussen werd het bos steeds dikker en dieper en – naarmate het bladerdak zich boven zijn hoofd sloot – afschrikwekkend donker.

Plotseling besefte Twijg dat hij staarde in een turkoois licht dat een heel eind verderop fonkelde als een juweel. Een seconde lang vroeg hij zich af of deze vreemde kleur gevaar aankondigde. Maar niet langer dan een seconde. Want golven zachte, hypnotiserende muziek overspoelden hem al.

Naarmate hij naderde, verspreidde het licht zijn gloed over de bladerrijke grond van het woud. Twijg keek naar zijn voeten, badend in turkoois-groen. De muziek – een werveling van stemmen en strijkinstrumenten – weerklonk steeds luider.

Twijg hield halt. Wat moest hij doen? Hij was te bang om nog één stap verder te gaan. Maar terug kon hij al evenmin. Hij *moest* vooruit.

Kauwend op de punt van zijn sjaal zette Twijg één stap. Toen nog een... Het turkooizen licht kleurde hem nu van top tot teen, zo verblindend dat hij zijn ogen moest afdekken. De muziek, luid en droevig, vulde zijn oren. Langzaam liet hij zijn hand zakken en keek rond.

Twijg stond op een open plek. Hoewel het turkooizen licht helder scheen, was het ook wazig. Niets was duidelijk. Schaduwrijke gedaantes zweefden voor zijn ogen, kruisten elkaar en verdwenen. De muziek klonk nog luider. En plotseling, heel plotseling, stapte een figuur uit de mist en bleef voor hem staan.

Het was een vrouw, klein en gedrongen, met kralen in haar haren. Twijg kon haar gezicht niet onderscheiden. 'Wie ben jij?' vroeg hij. En toch, terwijl de muziek rees naar een weeïg crescendo, kende hij het antwoord. De korte, logge benen, de krachtige schouders en, toen ze haar hoofd naar één kant bewoog, het profiel van die rubberen neus. Droeg ze niet zulke vreemde kleren, dan kon er van twijfel geen sprake zijn.

'Moeder-Mijn', sprak Twijg zacht.

Maar Spelda draaide zich om en verdween opnieuw in de turkooizen mist. De vreemde blauwe bontmantel die ze droeg, sleepte over de grond achter haar aan.

'GA NIET WEG!' smeekte Twijg haar. 'MOEDER! SPELDA!'

De muziek klonk steeds uitzinniger. De zingende stemmen werden dissonant.

'KOM TERUG!' schreeuwde Twijg, terwijl hij haar achterna spurtte. 'LAAT ME NIET ALLEEN!'

Hij liep en liep door de verblindende mist. Soms stootte hij zich aan takken of stronken die hij niet had opgemerkt, soms struikelde hij en viel languit op de grond. Maar steeds opnieuw krabbelde hij overeind, borstelde zichzelf af en begon opnieuw te hollen.

Spelda was op zoek naar hem gegaan, dat was duidelijk. Ze moet geweten hebben dat ik in moeilijkheden verkeerde, dacht Twijg; dat ik van het pad ben afgedwaald. Ze is me komen halen om samen terug naar huis te keren. Ik mag haar niet verliezen!

Toen kreeg Twijg haar weer in de gaten. Ze stond iets verderop, haar rug naar hem gekeerd. De muziek was nu weer zacht en stil, en de stemmen zongen een sussend wiegelied. Twijg naderde de gedaante, zijn hele lichaam tintelde verwachtingsvol. Hij liep naar haar toe, luidkeels haar naam schreeuwend. Maar Spelda verroerde geen vin.

'Moeder', schreeuwde Twijg. 'Ik ben het.'

Spelda knikte en draaide zich langzaam om. Twijg schudde van top tot teen. Waarom deed ze zo vreemd? De muziek klonk nu heel stil. Spelda stond voor hem, het hoofd gebogen en de kap van haar mantel over haar gezicht getrokken. Langzaam opende ze haar armen naar hem, om ze in een warme omhelzing om hem heen te slaan. Twijg stapte vooruit.

Maar toen slaakte Spelda een afschuwelijke schreeuw en wankelde terug, heftig schuddend met haar hoofd. De muziek weerklonk weer heel luid en sloeg, dringend en ritmisch, als een kloppend hart. Ze schreeuwde nog eens – een wilde kreet die dwars door Twijgs hart sneed – en sloeg woest naar de lucht om haar heen.

'Moeder-Mijn!' gilde Twijg. 'Wat gebeurt er?'

Hij zag bloed druppelen uit een jaap op haar schedel. Op haar schouder verscheen een tweede houw, en nog een derde op haar rug. De blauwe mantel werd paars toen het bloed zich verspreidde. En nog steeds kronkelde en gilde en haalde ze uit naar haar onzichtbare belager.

Twijg staarde haar ontzet aan. Hij zou haar hebben geholpen als hij had gekund. Maar er was niets – absoluut niets – dat hij kon doen. In zijn hele leven had hij zich nog nooit zo nutteloos gevoeld.

Plotseling zag hij hoe Spelda naar haar keel greep. Bloed sijpelde tussen haar vingers. Ze jammerde zachtjes, zakte in elkaar en lag vreselijk stuiptrekkend op de grond.

Toen werd ze stil.

'NEEEEEE!' weeklaagde Twijg. Hij viel op zijn knieën en schudde het lichaam bij de schouders. Geen teken van leven. 'Ze is dood', snikte hij. 'Allemaal mijn schuld. Waarom?' huilde hij. 'Waarom? Waarom? Waarom?'

Hete tranen stroomden over zijn gezicht en spatten uiteen op het met bloed bevlekte kleed toen Twijg het levenloze lichaam omhelsde.

'Goed zo', hoorde hij een stem boven zijn hoofd. 'Laat alles eruit stromen. Was de leugens weg.'

Twijg keek op. 'Wie is daar?' vroeg hij, en wreef zich de ogen uit. Hij zag niets, niemand. De tranen bleven onophoudelijk stromen.

'Ik ben het, en ik zit hier', zei de stem.

Twijg tuurde ingespannen naar de plek waar de stem vandaan kwam, maar zag nog steeds niets. Hij sprong overeind. 'Kom op, dan!' schreeuwde hij, en trok zijn mes uit zijn riem. 'Probeer mij maar te pakken te krijgen!' Wild haalde hij uit naar de lucht. 'KOM OP!' bulderde hij. 'LAAT JEZELF EENS ZIEN, LAFAARD!'

Maar tevergeefs. De onzichtbare moordenaar bleef onzichtbaar. Op wraak zou hij moeten wachten. Tranen van verdriet, woede, frustratie gulpten over Twijgs wangen. Hij kon ze niet stoppen.

Toen begonnen er vreemde dingen te gebeuren. Eerst dacht Twijg dat hij zich maar wat inbeeldde. Maar toch niet. Langzaam veranderde alles om hem heen. De mist werd dunner, het turkooizen licht begon te vervagen – zelfs de muziek stierf geleidelijk weg. Twijg ontdekte dat hij zich ondanks alles nog steeds in het woud bevond. Maar onrustbarender was dat hij, toen hij rondkeek, zag wat hem had aangesproken.

'Jij!' snakte Twijg naar adem. Hij herkende het schepsel uit de verhalen die Klishaar hem had verteld. Het was een schutvogel, of beter *de* schutvogel, want elk van hun aantal beschouwde zichzelf als een en dezelfde. De pijn om het verlies rees naar zijn keel. 'Waarom deed je dit?' flapte hij eruit. 'Waarom heb je Spelda vermoord? Mijn eigen moeder!'

De grote schutvogel boog zijn kop naar een kant. Een straal zonlicht schitterde op de massieve gehoornde snavel, en een paars oog draaide in het rond om de jongen te inspecteren.

'Het was je moeder niet, Twijg', zei de vogel.

'Maar ik zag haar toch', protesteerde Twijg. 'Ik hoorde haar stem. Ze *zei* dat ze mijn moeder was. Waarom zou ze...?'

'Kijk eens', zei de vogel.

'Ik...'

'Bekijk haar vingers. Bekijk haar tenen. Trek haar haren achteruit en bekijk haar gezicht', drong de schutvogel aan. 'En vertel me dan of ze jouw moeder is.'

Twijg keerde terug naar het lichaam en hurkte neer. Het zag er nu al anders uit. De mantel zag er minder als een kledingstuk uit, maar eerder als een echte vacht. Hij liet zijn blik dwalen over de uitgestrekte

arm, en besefte dat geen enkele mouw zo nauw kon zitten.

Hij stapte rond het lichaam, en merkte plotseling de hand op: drie geschubde vingers met oranje klauwen als toppen. En de voeten zagen er net zo uit. Twijg snakte naar adem en keek opnieuw naar de schutvogel. 'Maar...'

'Het gezicht', zei de vogel overtuigd. 'Kijk naar het gezicht en zie waarvan ik je heb gered.'

Met trillende vingers reikte Twijg voorwaarts en trok de gerimpelde vacht weg. Hij gilde in afschuw. Niets kon hem hebben voorbereid op wat hij zag.

Een strakke, geschubde huid, als bruin oliepapier om een schedel gewikkeld; uitpuilende gele ogen, die hem blind aanstaarden; en de mond met de rijen gepunte tanden, verwrongen van woede en pijn.

'Wat is dit?' vroeg hij stilletjes. 'De Schemergluiperd?'

'O, nee, niet de Schemergluiperd', antwoordde de vo-

gel. 'Sommigen noemen dit een doodskopkwant', zei hij. 'Een jager op dromers die hun weg verliezen in de wiegeliedbosjes.'

Twijg keek op. Overal om hem heen stonden wiegeliedbomen, zacht neuriënd in het gespikkelde licht. Hij raakte de sjaal rond zijn nek aan.

'Wie zich tussen de wiegeliedbomen bevindt,' vervolgde de vogel, 'ziet alleen wat hij wil zien – tot het te laat is. Een geluk voor jou dat ik net uitkwam.'

Boven de schutvogel bengelde een reusachtige cocon als een weggegooide sok.

'Jij kwam uit dat?' zei Twijg.

'Tuurlijk', zei de schutvogel. 'Waar anders? Aah, kleintje, je hebt nog zoveel te leren. Klishaar had heel erg gelijk.'

'Ken jij Klishaar?' hijgde Twijg. 'Ik begrijp er niets van.'

De schutvogel mompelde ongeduldig 'jeetje'. 'Klishaar slaapt in onze cocons en droomt onze dromen', legde hij uit. 'Ja, ik ken Klishaar, zoals ik alle andere schutvogels ken. We hebben onze dromen gemeen.'

'Was Klishaar nu maar hier', zei Twijg droevig. 'Hij zou weten wat ik moet doen.' Zijn hoofd bonsde door het neuriën van de bomen. 'Ik ben nutteloos', zuchtte hij. 'Een armzalig soort woudtrol. Ik ben van het pad afgedwaald. Ik ben voorgoed verloren en het is allemaal mijn eigen stomme schuld. Ik wilde dat... dat de doodskopkwant me met huid en haar verscheurd had. Dan zou het tenminste allemaal afgelopen zijn!'

'Wel, wel', zei de schutvogel vriendelijk en wipte naar hem toe. 'Je weet wat Klishaar zou zeggen, is het niet?'

'Ik weet helemaal *niets*', jammerde Twijg. 'Ik ben een mislukkeling.'

'Hij zou zeggen', ging de schutvogel onverstoord verder, 'dat als je van het veel betreden pad afwijkt, je een eigen pad moet scheppen dat de anderen moeten volgen. Jouw bestemming ligt voorbij het Diepe Woud.'

'*Voorbij* het Diepe Woud?' Twijg keek de schutvogel recht in de purperen ogen aan. 'Maar er is helemaal niets voorbij het Diepe Woud. Het Diepe Woud strekt zich oneindig ver uit. Er is hoog en laag. De lucht is hoog en de grond is laag, en daarmee houdt het op. Iedere woudtrol weet dat het zo is.'

'Iedere woudtrol blijft netjes op het pad', zei de schutvogel zacht. 'Misschien is er voor de woudtrol geen *voorbij*. Maar voor jou wel, dat is zeker.'

En plotseling, met een luid klapperen van zijn gitzwarte vleugels, sprong de schutvogel van de tak en steeg de lucht in.

'STOP!' krijste Twijg. Maar het was al te laat. De grote schutvogel fladderde over de bomen. Twijg staarde bedroefd voor zich uit. Hij wilde schreeuwen, hij wilde gillen, maar hij was bang de aandacht te trekken van een van de vreselijke bewoners van het Diepe Woud en hield zijn lippen stijf op elkaar.

'Jij bent getuige geweest van mijn uitkomen en ik zal over je waken', hoorde hij de verre roep van de schutvogel. 'Wanneer je me echt nodig hebt, zal ik er zijn.'

'Ik heb je nú echt nodig', mompelde Twijg nukkig.

Hij schopte tegen de dode doodskopkwant. Hij stootte een lang, laag gekreun uit. Of was het het geluid van de

wiegeliedbomen? Maar Twijg had geen tijd om het uit te vissen. Hij verliet het wiegeliedbosje en rende de eindeloze, padloze dieptes van het donkere en sombere Diepe Woud in.

De donkere nacht was al over het woud gevallen toen Twijg eindelijk ophield met lopen. Hij bleef staan, met zijn handen op de heupen en zijn hoofd gebogen, hijgend en snakkend naar adem. 'Ik ka... kan geen sta... stap meer verzetten', pufte hij.

Er zat niets anders op. Twijg moest op zoek gaan naar een plek om de nacht door te brengen. De dichtstbijzijnde bomen hadden massieve stammen en een compact gewelf van grote, groene bladeren die hem zouden beschermen tegen slecht weer. Maar, en dit was belangrijker, ze zagen er veilig uit. Twijg raapte een hoop droge bladeren bij elkaar en drukte ze tussen de wortels van de boom. Daarna kroop hij op zijn geïmproviseerde matras in zijn geïmproviseerde stulp, rolde zichzelf in een bolletje en sloot zijn ogen.

Om hem heen gierden, huilden en schreeuwden de nachtgeluiden. Twijg vouwde zijn arm over zijn hoofd om het nerveus makende lawaai af te weren. 'Je redt het wel', pompte hij zichzelf moed in. 'De schutvogel heeft beloofd voor je te zorgen.'

Met deze geruststellende gedachte gleed hij in een diepe slaap, niet wetend dat op datzelfde ogenblik de schutvogel druk in de weer was met een familie bosnimfen, kilometers, kilometers ver.

HOOFDSTUK VIJF

DE BLOEDEIK

In het begin was het niet meer dan een kietelend ge-voel dat Twijg in zijn slaap stoorde. Hij smakte suf met zijn lippen en rolde zich op zijn zij. Genesteld in zijn stulp van bladeren onder een oude, zich uitstrek-kende boom, leek Twijg zo jong en klein en kwetsbaar. Een lang, dun wriemelend schepsel was het dat hem kietelde. Toen Twijgs ademhaling weer regelmatiger werd, wriggelde het pal voor zijn gezicht in de lucht. Het boog en kronkelde in de warme lucht steeds als Twijg uitademde. En plotseling schoot het vooruit en begon de mond van de jongen te onderzoeken.

Twijg gromde in zijn slaap, en zijn hand streek over zijn lippen. Het wriemelende schepsel ontweek de ma-gere vingers, en repte zich in de donkere tunnel van warmte erboven.

Twijg schoot wakker en zat meteen overeind. Zijn hart bonsde. Er stak iets in zijn linkerneusgat!

Hij greep zijn neus beet en kneep erin tot tranen in zijn ogen welden. Abrupt schoof wat-het-ook-was over het zachte membraan in zijn neus, en kwam naar buiten.

Twijg huiverde, en kneep zijn ogen zo hard dicht dat ze pijn deden. Zijn hart bonsde nog heviger. Wat was dit? Wat kon dit zijn? Angst en honger worstelden met elkaar in de put van Twijgs maag.

Bang om te kijken gluurde Twijg door een kier in zijn ene oog. Toen zijn blik in een flits iets smaragdgroens ving, vreesde hij het ergste en kroop op handen en voeten terug. Het volgende ogenblik gleed hij uit, schoten zijn benen voor hem uit en plofte hij neer op zijn ellebogen. Hij staarde opnieuw in het nevelige halflicht van de nieuwe morgen. Het wriemelende ding had niet bewogen.

'Wat doe ik flauw', mompelde Twijg. 'Het is maar een rups.'

Hij leunde achterover en tuurde in het donkere bladergewelf boven hem. Boven de zwarte bladeren was de hemel van bruin veranderd in rood. De lucht was warm, maar zijn benen waren achteraan nat van de vroege ochtenddauw van het Diepe Woud. Tijd om te vertrekken.

Twijg klauterde overeind en was de twijgen en bladeren uit zijn hamelhoornhuidvest aan het schudden toen – *whoooosh* – de lucht siste met een geluid dat klonk als een zweepslag. Twijg snakte naar adem, en staarde verstijfd van angst toen de smaragdgroene rups hem aanviel en zich een, twee, drie keer rond zijn uitgestrekte polsen kronkelde.

'Aaaargh!' schreeuwde hij toen scherpe klauwen in zijn huid drongen – en hij vervloekte zichzelf omdat hij niet op zijn hoede was geweest.

Want het wriemelende groene wezen was helemaal geen rups. Het was een kruiper, een rank, de smaragden tip van een lange en kwaadaardig met weerhaken bezette klimplant die als een slang wriemelde en kronkelde door het schaduwrijke bos, op zoek naar een warmbloedige prooi. Twijg was als in een lasso gevangen door de afschuwelijke teerkruiper.

'Laat me los!' schreeuwde hij, heftig rukkend aan de vastberaden klimplant. 'LAAT ME LOS!'

Maar door het trekken zonken de klauwachtige doorns dieper in het zachte vlees van zijn arm. Twijg gilde het uit van de pijn, en keek ontzet toe hoe kleine, karmozijnrode bloeddruppels steeds groter werden en openbarstten en over zijn hand stroomden.

Een dikke, ziekmakende wind deed zijn haren overeind staan en woelde in de vacht van zijn hamelhoornhuidvest. De bries droeg de geur van zijn bloed in de

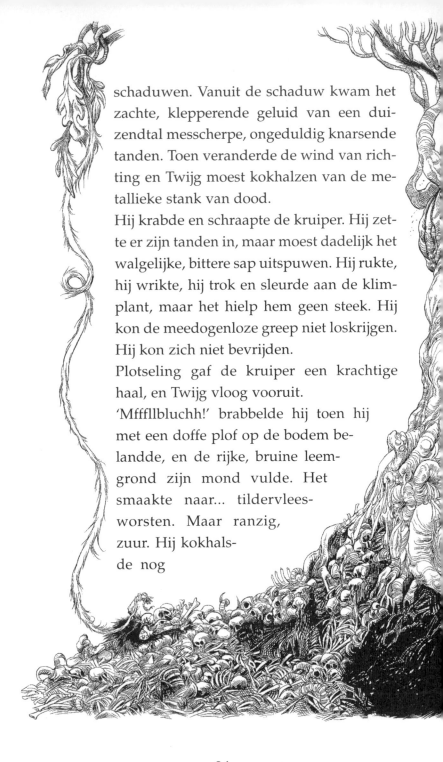

schaduwen. Vanuit de schaduw kwam het zachte, klepperende geluid van een duizendtal messcherpe, ongeduldig knarsende tanden. Toen veranderde de wind van richting en Twijg moest kokhalzen van de metallieke stank van dood.

Hij krabde en schraapte de kruiper. Hij zette er zijn tanden in, maar moest dadelijk het walgelijke, bittere sap uitspuwen. Hij rukte, hij wrikte, hij trok en sleurde aan de klimplant, maar het hielp hem geen steek. Hij kon de meedogenloze greep niet loskrijgen. Hij kon zich niet bevrijden.

Plotseling gaf de kruiper een krachtige haal, en Twijg vloog vooruit.

'Mfffllbluchh!' brabbelde hij toen hij met een doffe plof op de bodem belandde, en de rijke, bruine leemgrond zijn mond vulde. Het smaakte naar... tildervleesworsten. Maar ranzig, zuur. Hij kokhalsde nog

eens en kotste alles eruit. 'Stop!'
schreeuwde Twijg.
Maar de teerkruiper had er geen oren
naar. Over rotsen en boomstronken
sleepte hij zijn slachtoffer; door woudne-
tels en tripkruid. Botsend, hotsend, sto-
tend. Twijg besefte dat, hoe zwaar hij ook geslagen en geranseld en gestoken werd, het ergste nog
moest komen. Toen hij een kamstruik passeerde, greep
hij wanhopig een tak en klampte zich eraan vast. Waar
was de schutvogel nu hij hem nodig had?
Een ogenblik lang bleef de kruiper vasthangen aan enkele wortels. Een gil van plotselinge woede echode
vanuit de schaduwen, en de teerkruiper gaf een over
zijn hele lengte deinende golf van zweepslagen. Twijg
klampte zich zo hard hij kon aan de struik vast, maar
de kruiper was te sterk. De struik schoot met wortels
en al uit de grond en Twijg vloog weer hotsend en
botsend, maar deze keer sneller, over de woudbodem. Onder hem voelde hij harde, witte,
knobbelige objecten die zich in hem
boorden terwijl de kruiper hem
met zich meesleurde.

Hoe verder ze gingen, des te meer waren er. Het waren beenderen: dijbenen, wervelkolommen, ribben en lege, grijnzende schedels.

'Nee, NEE, NEE!' gilde Twijg. Maar de lucht was dood, en zijn geschreeuw werd uitgedoofd door het bloedrode licht.

Schokkend met zijn hoofd tuurde Twijg in de schaduwen voor hem. Hij zag de stam van een boom, dik en rubberachtig, die uit een witte heuvel opschoot waar de beenderen het dikste lagen.

De stam trilde en krijste; hij glinsterde van het kleverige speeksel dat druppelde uit de ontelbare gapende zuigers. Hoog boven hem, waar de takken zich splitsten, hoorde Twijg het geknars van wel duizend kaakachtige tanden, toen die zich met veel lawaai openden en sloten – luider en *luider* en LUIDER! Het was het geluid van de afschuwelijke vleesetende bloedeik.

'Mijn mes', dacht Twijg koortsachtig terwijl het klepperen versnelde, de stank verergerde en het gegil hem steeds meer in paniek bracht.

Hij friemelde zenuwachtig aan zijn riem en greep het gladde heft van zijn naamgevingsmes. Daarna, met één vloeiende beweging, trok hij het mes uit zijn foedraal, zwaaide met zijn arm boven zijn hoofd en sloeg uit volle macht toe.

Het geluid van een drassige versplintering weerklonk, en een spoor van glanzend, groen slijm spatte in zijn gezicht. Maar terwijl zijn arm plotseling terugsprong, wist Twijg meteen dat het hem gelukt was. Hij veegde het slijm uit zijn ogen.

Ja! Daar was hij, de kruiper, hypnotisch heen en weer slingerend boven hem. Voorwaarts en achterwaarts ging hij, voorwaarts en achterwaarts, heen en weer. Twijg was aan de grond genageld. Hij keek verlamd toe hoe het afgebroken uiteinde ophield met druipen en de vloeistof stremde tot een knobbelige, groene klodder, zo groot als een vuist.

Plotseling splitste de rubberachtige huid zich, barstte de klodder open en, met een rasperig slurpgeluid, sprong er een lange tentakel met smaragdgroene tippen uit. Ze bevoelde de lucht en trilde.

Toen verscheen een tweede tentakel, gevolgd door een derde. Twijg keek gehypnotiseerd toe, niet in staat te bewegen. Waar zonet één kruiper gezeten had, waren er nu drie. Ze verhieven zich, klaar om toe te slaan – en *s-s-s-swooooooooosh* – alledrie samen vielen ze aan.

Twijg schreeuwde van pijn en ontzetting toen de tentakels hem stevig bij de enkel vastsnoerden. Nog voor hij ook maar iets kon ondernemen, rukte de teerkruiper zijn voeten van onder hem vandaan en trok hem omhoog, ondersteboven, hoog in de lucht.

Het bloed stroomde naar zijn hoofd en het hele woud werd een wazige vlek voor zijn ogen. Twijg had zijn mes nog steeds in zijn hand, ook al hing hij ondersteboven. Hij wriemelde en kronkelde en krioelde uit alle macht, trok zichzelf op, greep de kruiper vast en begon te steken en te priemen.

'IN NAAM VAN DE HEMEL, LAAT ME LOS!' gilde hij.

Onmiddellijk begon groen slijm naar het oppervlak te borrelen. Het verspreidde zich over zijn hand en mes, olieachtig en glad. Twijg verloor zijn greep en tolde weer door de lucht.

Hulpeloos bungelend aan zijn voeten, draaide hij zijn nek en keek omlaag. Hij hing boven de top van de boomstam. Pal onder hem zag hij de duizend mes-scherpe tanden die hij zo begerig had horen klapperen. Geschikt in een grote cirkel, glinsterden ze in het rode licht.

Plotseling barstten ze open. Nu staarde Twijg in de gi-gantische karmozijnrode keel van de bloeddorstige boom. De stank was niet te harden. Twijg kotste zijn ziel uit zijn lijf.

Nooit zou hij kunnen varen op de schepen van de luchtpiraten. Of zijn bestemming bereiken. Of ooit het Diepe Woud verlaten.

Met het laatste beetje kracht dat hem nog restte, vocht Twijg hevig om zich weer op te trekken. Het hamelhoornhuidvest gleed over zijn ogen. Hij voelde de vacht verstijven toen hij die tegen de haren in streek. Steeds opnieuw reikte hij omhoog en – uiteindelijk – slaagde hij erin de kruiper vast te grijpen. Maar toen hij dit deed, liet deze zijn voeten los.

Twijg gilde het uit van angst toen hij los slingerde, en hield zich zo hard hij kon vast aan de kruiper. Nu wilde hij zichzelf niet langer loshakken, maar probeerde hij wanhopig greep te krijgen – om niet te vallen in de gapende mond van de bloedeik. Hand over hand probeerde hij de kruiper te beklimmen, maar deze gleed glad door het slijm door zijn vingers. Voor elke centimeter die hij steeg, daalde hij er een half dozijn.

'Help', jammerde hij zachtjes. 'Help me.'

De kruiper gaf een krachtige ruk. Twijg verloor zijn greep en de teerkruiper zwiepte hem weg.

Met zijn voeten vooruit en zijn armen klapwiekend viel hij door de lucht. Hij landde met een misselijkmakende klap diep in de spelonkachtige muil van de vleesetende boom. Boven hem klapten de tanden dicht.

Binnen in de boom was het stikdonker, en een afgrijselijk gemurmel klonk loeihard. 'Ik kan niet bewegen', hijgde hij. De monsterlijke keel trok zich rond hem samen en ringen harde, houtachtige spieren drukten hem bijna plat. 'Kan niet a...de...men!'

Eén gedachte schoot voortdurend door zijn hoofd, te verschrikkelijk om bij stil te staan. *Ik word levend verslonden!* Dieper en dieper gleed hij door de keel. *Levend verslonden...!*

Plotseling trilde de bloedeik hevig. Een grommende, rommelende boer borrelde op van diep binnen in de boom, en een explosie van stinkende lucht stroomde langs Twijg heen. Eén ogenblik lang losten de spieren hun greep.

Twijg snakte naar adem en gleed nog wat verder. Het dikke haar op het hamelhoornhuidvest stond recht overeind toen het tegen de haren in werd gestreken. De bloedeik trilde opnieuw.

Het gorgelen werd steeds luider terwijl de bloedeik bleef kuchen, tot de hele sponzige tunnel met een oorverdovend geraas begon te schudden. Onder hem voelde Twijg iets vreemds tegen zijn voetzolen persen, dat hem opwaarts duwde.

Ineens loste de kokhalzende boom voor de tweede maal zijn greep op Twijgs lichaam. De boom moest dat puntige voorwerp dat in zijn keel stak kwijt zien te raken. Hij boerde, en de opgehoopte luchtdruk explodeerde met zoveel geweld dat Twijg opnieuw de hoogte in schoot langs de holle schacht.

Hij werd met een luide *POP* in de lucht gekatapulteerd en zweefde onder een regen van speeksel en groen slijm. Even dacht Twijg dat hij echt vloog. Steeds hoger en verder ging hij, zo vrij als een vogel.

En toen stortte hij weer omlaag, duikelend door takken. Hij landde met een harde klap, die elk bot in zijn lichaam een schok gaf. Een ogenblik lang bleef hij liggen, nauwelijks in staat te geloven wat hem overkomen was.

'Jij hebt mijn leven gered', zei hij, zijn hamelhoornhuidvest gladstrijkend. 'Bedankt voor je geschenk, Ma-Tatum.'

Niet eens zwaar gewond, besefte Twijg dat iets zijn val moest hebben gebroken. Onzeker bukte hij zich.

'Oy!' protesteerde een stem.

Geschrokken rolde Twijg op zijn zij en keek op. Niet *iets*, maar *iemand* had zijn val gebroken! Hij verstevigde zijn greep om zijn mes, dat hij nog steeds in zijn hand hield.

HOOFDSTUK ZES

DE KOLONIE DER DRABKOBOLDS

Twijg kroop wankelend overeind, en keek naar de figuur op de grond. Hij had een plat hoofd, een knolvormige neus en ogen met zware oogleden; hij ging gekleed in vuile vodden en zat van top tot teen onder het vuil. Hij staarde Twijg wantrouwig aan.

'Je bent van hoog in de lucht op ons gedonderd', gromde hij.

'Weet ik, het spijt me vreselijk', zei Twijg huiverend. 'Je zult nooit geloven wat me zonet overkomen is. Ik...'

'Je hebt ons pijn gedaan', onderbrak de kobold hem. Zijn nasale stem gonsde in Twijgs hoofd. 'Ben jij de Schemergluiperd?' vroeg de stem.

'De Schemergluiperd?' antwoordde Twijg verbaasd. 'Natuurlijk niet!'

'Het meest afschrikwekkende schepsel in het hele Diepe Woud, dat is het', zei de kobold met trillende oren. 'Het houdt zich schuil in de donkere hoeken van de hemel en stort zich op de argeloze.' De ogen van de kobold vernauwden zich tot twee dunne spleetjes. 'Maar

misschien weet je dat allemaal al.'
'Ik ben geen Schemerglui-
perd', zei Twijg. Hij stak zijn
mes terug in zijn foedraal,
reikte voorwaarts en hielp de
kobold op de been. De be-
nige hand voelde heet en
plakkerig aan. 'Maar laat ik
je wat vertellen', voegde
Twijg eraan toe. 'Ik
werd zonet bijna *opge-
geten* – door een bloe...'
Maar de kobold luisterde
helemaal niet. 'Hij
verzekert ons er-
van dat hij niet de
Schemergluiperd is',
riep hij in de schaduwen.
Twee andere plompe, hoekige kobolds verschenen op
het toneel. Behalve de verschillende patronen gestreept
vuil op hun gezicht, zagen de drie er identiek uit. Twijg
trok zijn neus op bij de misselijkmakende, zoete geur
die ze verspreidden.
'In dat geval', zei de eerste, 'kunnen we beter terugkeren naar de kolonie. Onze Blubbermoeder zal zich af-
vragen waar we blijven.'
De anderen knikten, namen hun bundeltje kruid op en
gooiden het op hun platte hoofden.
'Wacht!' schreeuwde Twijg. 'Je kunt niet zomaar weg-

wandelen. Jullie moeten me helpen. KOM TERUG!' gilde hij, en snelde hen achterna.

Het bos was compact en overwoekerd. Door scheuren in het bladerdak merkte Twijg dat de lucht rozeblauw was geworden. Een zwak lichtschijnsel drong door de gloed eronder.

'Waarom luisteren jullie niet naar me?' zei Twijg beroerd.

'Waarom zouden we?' klonk het antwoord.

Twijg beefde van eenzaamheid. 'Ik ben moe en heb honger', zei hij.

'En wat dan nog!' jouwden ze.

Twijg beet op zijn onderlip. 'En ik ben verdwaald!' riep hij boos. 'Kan ik met jullie mee?'

De kobold die pal voor hem uit liep, draaide zich om en haalde zijn schouders op. 'Je doet maar, het is ons allemaal om het even.'

Twijg zuchtte. Een vriendelijker uitnodiging hoefde hij niet te verwachten. Maar ze hadden tenminste niet gezegd dat hij *niet* mee kon. De kobolds waren onaangenaam gezelschap, maar zoals Twijg al had geleerd, je kon niet kieskeurig zijn in het Diepe Woud. En dus, terwijl hij de doornige stekels van de teerkruiper uit zijn pols plukte, ging Twijg met hen mee.

'Hebben jullie een naam?' riep hij enige tijd later uit.

'We zijn drabkobolds', antwoordden ze in koor.

Eventjes verderop kregen ze het gezelschap van nog drie kobolds, vervolgens nog eens drie – en ten slotte nog een half dozijn. Ze zagen er alle precies eender uit. Alleen door de voorwerpen op hun hoofd verschilden ze van elkaar. De ene droeg een tenen schaal met bessen, een andere een mand met knolwortels, en een derde een reusachtige, bolle, paars en gele pompoen.

Eensklaps verliet de zich verdringende massa het bos en werd Twijg met hen meegevoerd naar een in het zonlicht badende open plek. Voor hem stond een prachtige, uit roze wassen materiaal gemaakte constructie, met doorzakkende ramen en afhangende torens. Het geheel was zo groot als de grootste bomen en strekte zich verder uit dan Twijg kon zien.

De kobolds begonnen opgewonden door elkaar te praten. 'We zijn terug', schreeuwden ze, terwijl ze voorwaarts stormden. 'We zijn thuis. Onze Blubbermoeder zal tevreden over ons zijn. Onze Blubbermoeder zal ons voeden.'

Twijg werd aan alle kanten platgedrukt door de drommende lichamen en kon nauwelijks ademhalen. Plotseling verloren zijn voeten alle contact met de grond en voelde Twijg dat hij willoos werd meegevoerd. Een grote poort doemde voor hem op. Het volgende ogenblik werd hij door de vloed drabkobolds meegezogen onder de uittorenende arcade, en in de kolonie zelf.

Eenmaal binnen repten de kobolds zich in alle richtingen. Twijg tuimelde met een plof op de vloer. Steeds meer kobolds dwarrelden binnen. Ze trapten op zijn handen, ze struikelden over zijn benen. Met één arm uitgestrekt om zich te beschermen, kroop Twijg overeind en probeerde tevergeefs de deur weer te bereiken. Geduwd en gestoten werd hij door de hal gedreven tot in een van de talloze tunnels. De lucht werd dichter, benauwder. De muren waren kleverig en warm en gloeiden met een dieproze licht.

'Jullie moeten me helpen', smeekte Twijg terwijl de kobolds langs hem snelden. 'Ik heb honger!' schreeuwde hij en greep een grote houtvrucht uit een van de passerende manden.

De kobold, wiens vrucht het was, keek hem woedend aan.

'Dat is niet voor jou', sneerde hij en rukte de houtvrucht uit Twijgs handen.

'Maar ik heb het *nodig*', zei Twijg zwakjes.

De kobold draaide hem de rug toe en verdween. Twijg voelde de woede in hem opborrelen. Hij had honger. De kobolds hadden massa's voedsel – maar wilden niet met hem delen. Plotseling barstte zijn woede los.

De kobold met de houtvruchten was nog niet ver. Stommelend langs de anderen vermande Twijg zich en wierp zich op de enkels van de kobold – en miste.

Versuft zat hij rechtop. Hij bevond zich naast een smalle nis tegen de muur. Deze opening was de kobold binnen gestormd. Twijg glimlachte grimmig toen hij overeind klauterde. Hij had de kobold te pakken.

'Jij!' gilde hij. 'Ik wil wat van dat fruit en ik wil het nu!' De rode houtvruchten glommen in het roze licht. Twijg kon hun stroperige vlees bijna op zijn tong voelen.

'Ik heb het je al gezegd', zei de kobold, de mand van zijn hoofd halend. 'Ze zijn niet voor jou.' En terwijl hij dit zei, goot hij de hele inhoud in een gat in de vloer. Twijg hoorde ze in vrije val stuiteren en diep onder hem neerkomen – met een gedempt *platsh*.

Twijg staarde de kobold met open mond aan. 'Waarom deed je *dat*?' vroeg hij.

Maar de kobold vertrok zonder een woord te zeggen.

Twijg stampvoette. 'Afschuwelijk smerig gedrocht', gromde hij. Ook andere kobolds kwamen eraan met hun lading wortels, vruchten, bessen en bladeren. Niemand sloeg acht op Twijg. Niemand hoorde zijn gesmeek om wat eten. Uiteindelijk zweeg Twijg en staarde naar de kleverige vloer. De stroom kobolds nam af. Pas toen een laatkomer arriveerde, tegen zichzelf mompelend over de tijd, keek Twijg weer op. De kobold leek in de war. Met beverige handen kieperde hij zijn lading sappige, gele plukwortels in het gat.

'Eindelijk', zuchtte hij. 'En nu iets eten.'

Eten. *Eten*! Het heerlijke woord echode rond Twijgs hoofd. Hij sprong overeind en volgde de kobold.

Twee bochten naar rechts en een tweesprong links verder, bevond Twijg zich in een grote, spelonkachtige kamer. Het vertrek was rond en hoog en overkoepeld, met glinsterende muren en dikke zuilen die druipende kaarsen leken. De lucht was bedorven door de vertrouwde, misselijkmakende zoete geur, die op de huid bleef kleven.

Hoewel de kamer bomvol zat, was het er muisstil. De drabkobolds staarden alle omhoog, met open mond en open ogen, naar een punt in het midden van het koepeldak. Twijg volgde hun starende blik en zag hoe een wijde buis langzaam uit het plafond zakte. Wolken roze stoom kringelden omhoog uit de tip van de buis, waardoor de bedompte lucht nog muffer werd.

De buis bleef luttele centimeters boven een trog hangen. De kobolds hielden gespannen hun adem in. Er weerklonk een klik en een gorgelend geluid, nog een laatste stoomstoot, en toen stroomde plotseling een stortvloed van dikke, roze honing uit de onderkant van de buis en in de trog.

Toen ze de honing zagen, gingen de kobolds als gekken tekeer. Stemmen verhieven zich, vuisten haalden uit. De kobolds achteraan stormden naar voor, en de kobolds vooraan vochten met elkaar. Ze krabden, ze krauwden, ze verscheurden elkaars kleren in een waanzinnige poging om als eerste van de stomende, roze honingpasta te kunnen snoepen.

Twijg haastte zich achteruit, weg van de razende kobolds. Hij tastte naar de muur achter zich en schoof voorzichtig rond de buitenrand van de kamer. Toen hij een trap bereikte, klom hij naar boven. Halverwege de trap hield hij halt, ging zitten en sloeg de kobolds onder hem gade.

De roze honing spatte en spetterde overal in het rond, terwijl de kobolds elkaar verdrongen om zoveel mogelijk van het kleverige mengsel te vreten. Sommige slurpten uit hun tot een kop gevormde handen. Andere hadden hun hoofd in de kleverige drab gestopt en gulpten het gulzig naar binnen. Een kobold was in de trog gesprongen en lag met open mond pal onder de honing spuwende buis. Een blik van stompzinnige gelukzaligheid verspreidde zich over zijn bespatte gelaatstrekken.

Twijg schudde vol afschuw zijn hoofd.

Plotseling weerklonk een luide KLONK en de stroom roze honing stopte abrupt. Etenstijd was voorbij. Een teleurgesteld gegrom steeg op en talrijke kobolds doken in de trog om die schoon te likken. De andere begonnen in een rij de kamer te verlaten: kalm en vredig. Samen met hun honger was ook de waanzinnige sfeer verdwenen.

De kamer was verre van leeg toen Twijg overeind kwam. Hij hoorde nog een geluid. PUF-PANT ging het. SQUELCH, KLATTER. En nog eens. PUF-PANT, SQUELCH, KLATTER.

Met bonzend hart draaide Twijg zich om en tuurde in de duisternis boven hem. Angstig bevoelde hij zijn amuletten.

PUF-PANT, SQUELCH, KLATTER.

Twijg snakte verschrikt naar adem. Iets kwam dichterbij. Iets dat een geluid maakte dat hem allerminst kon bekoren.

PUF-PANT, SQUELCH, KLATTER.

En opeens was de deurgang bovenaan de trap helemaal gevuld door het GROOTSTE, VETSTE, MONSTERLIJKSTE, ZWAARLIJVIGSTE creatuur dat Twijg ooit *ooit* OOIT had aanschouwd. Ze – want het was een vrouw – bewoog haar hoofd en overzag het tafereel onder haar. Kraalvormige ogen gluurden over haar vette wangen, en de rollen blubber rond haar nek wiebelden.

'Geen rust voor de kwaadaardige', mompelde ze. Haar stem klonk als blubberende modder. 'Toch', voegde ze er stilletjes aan toe, de borstel en emmer van hand verwisselend, 'Blubbermoeders jongens zijn het waard.'

Ze wurmde en wrong zichzelf door de deurgang, homp voor wiebelende homp. Twijg sprong overeind, vloog de trappen af en verborg zich op de enige plek waar hij zich kon verbergen: onder de trog. Het geluid hield aan – PUF-PANT, SQUELCH, KLATTER, THUD. Twijg spiedde angstig voor zich uit.

De Blubbermoeder haalde een redelijke snelheid voor iemand die zo waanzinnig vet was. Dichter en dichter kwam ze, steeds dichterbij. Twijg stond doodsangsten uit. 'Ze moet me gezien hebben', kreunde hij, en kroop zo ver mogelijk in de schaduwen van de trog.

De emmer kletterde op de vloer, de zwabber plonsde in
het water, en de Blubbermoeder begon de smurrie
schoon te maken die haar 'jongens' hadden achtergelaten. In en rond de trog klotste ze, hijgend neuriënd terwijl ze haar werk deed. Uiteindelijk greep ze de emmer
en goot het restje water *onder* de trog.

Twijg was zo verrast dat hij gilde. Het water was zo
koud als ijs.

'Wat was dat?' piepte de Blubbermoeder, en begon onder de trog te slaan en te graaien met haar zwabber.
Keer op keer wist Twijg de zwabber te ontwijken. Maar
toen was zijn geluk op. De zwabber sloeg hard tegen
zijn borst en zwiepte hem onder de trog vandaan. De
Blubbermoeder had hem vliegensvlug beet.

'Ugh!' riep ze uit. 'Smerig... afschuwelijk... weerzinwekkend ONGEDIERTE! Mijn mooie kolonie op zo'n manier bezoedelen.'

Ze trok Twijg bij zijn oren, zwaaide hem van de grond en plofte hem in de emmer. Daarna ramde ze de zwabber op hem, graaide haar boeltje bijeen en hees zichzelf opnieuw de trap op.

Twijg lag doodstil. Zijn borst deed pijn, zijn oor bonsde – de emmer zwaaide. Hij hoorde de Blubbermoeder zichzelf door de deur persen, en daarna door een volgende. De zoete, misselijkmakende geur werd erger dan ooit. Plotseling hield het zwaaien op. Twijg wachtte een ogenblik, duwde toen de zwabber opzij en tuurde over de rand.

De emmer hing aan een haak, hoog boven in een immense, stomende keuken. Twijg snakte naar adem. Er was geen weg omlaag.

Hij keek toe hoe de Blubbermoeder waggelde door het vertrek naar het fornuis waarop immense potten stonden te pruttelen. Ze nam een houten spatel en stak die in de sudderende roze honing. 'Roeren, roeren, roeren', zong ze. 'Moet blijven roeren.'

Toen dipte ze een kwabbige vinger in de pot, en zoog er bedachtzaam aan. Op haar gezicht verscheen een glimlach. 'Perfect', zei ze. 'Hoewel er misschien nog een ietsepietsie bij mag.'

Ze legde de spatel neer en sleepte haar indrukwekkende massa naar een schaduwrijk alkoof, achter in de keuken. Daar zag Twijg een put, schijnbaar misplaatst naast de kast en de tafel. De Blubbermoeder nam het houten handvat en begon eraan te draaien. Toen het uiteinde van het touw plotseling in zicht kwam, keek ze stomverbaasd. 'Waar verduiveld is de emmer?' mompelde ze. Toen schoot het haar te binnen.

'Unnh!' knorde ze een ogenblik later tevreden, de emmer van de haak halend en erin turend. 'Vergeten het afval uit te gieten.'

114

Twijg staarde angstig naar de emmerwand terwijl de Blubbermoeder terug naar de gootsteen hotste. Wat betekende 'het afval uitgieten' precies? Hij kwam het snel te weten toen een krachtige straal water – zo koud dat het zijn adem deed stokken – op hem donderde. Hij voelde hoe hij om zijn as tolde en tolde terwijl de Blubbermoeder de emmer spoelde. 'Whooaaaah!' schreeuwde hij duizelig uit. Het volgende ogenblik kieperde de Blubbermoeder de emmer om en schonk het hele goedje – Twijg en al – in de afvalschacht. 'Aaaarrgh!' gilde hij, tuimelend en buitelend

115

en duikelend door de lange schacht, steeds dieper tot op de bodem en toen eruit – PLATSH – op een warme, zachte, drassige aardhoop.

Twijg ging rechtop zitten en keek rond. De lange, flexibele buis waar hij doorheen was gebuiteld was maar een van de vele. Alle schommelden zachtjes deze kant op, hoog boven zijn hoofd, verlicht door het in de verte gloeiende dak van wassen roze. Nooit zou hij opnieuw zo hoog kunnen klimmen. Wat moest hij nu doen?

'Wat het zwaarst is, moet het zwaarst wegen', dacht Twijg, toen hij rechts van hem een ongeschonden houtvrucht zag liggen op de gistende hoop. Hij nam hem beet en veegde hem af aan zijn hamelhoornhuidvest tot de rode huid glom. Hongerig beet hij in de vrucht. Rood sap stroomde langs zijn kin.

Twijg glimlachte tevreden. 'Zalig', slurpte hij.

HOOFDSTUK ZEVEN

SPILLEPOTEN EN MELKSLAVEN

Twijg at zijn houtvrucht op en gooide het klokhuis
weg. Het pijnlijke geknor in zijn maag was verdwenen. Hij klauterde overeind, veegde zijn handen af
aan zijn jas en keek in het rond. Hij bevond zich pal in
het midden van een gigantische composthoop in een
ondergrondse spelonk die al even indrukwekkend was
als de kolonie erboven.

Knarsetandend en zijn adem inhoudend ploeterde
Twijg naar de overkant van de rottende vegetatie en
klom op de omgordende heuvel. Hij staarde omhoog
naar het dak hoog boven zijn hoofd. 'Als er een weg
naar binnen is,' mompelde hij, '*moet* er ook een weg
naar buiten zijn.'

'Niet noodzakelijk', sprak een stem.

Twijg verstijfde. Wie had er gesproken? Pas toen het
schepsel naar hem toe bewoog, en het licht op zijn
doorschijnende lichaam en wigvormige hoofd viel, besefte Twijg hoe dichtbij het was.

Groot en hoekig, leek het een soort reusachtig glazen

insect. Twijg had nog nooit iets dergelijks gezien. Hij wist niets van de ondergrondse zwermen spillepoten noch van de voortsjokkende melkslaven die ze hoedden. Plotseling deed het insect een uitval en greep Twijgs kraag met zijn klauwen beet. Twijg schreeuwde het uit toen hij tegenover de trillende kop zweefde, met de wuivende voelsprieten en gigantische facetogen, die groen en oranje fonkelden in het gedempte licht.

'Hier heb ik er nog eentje', riep het schepsel. Twijg hoorde het geluid van een naderend geschuifel, en het spilinsect kreeg het gezelschap van drie andere.
'Ik weet niet wat er daar boven met haar aan de hand is', zei de eerste.
'Bepaald slordig, als je het mij vraagt', zei de tweede.
'Ze zou als eerste komen klagen als de honing op was', zei de derde. 'We *moeten* dringend eens met haar praten.'

'Alsof dat zoden aan de dijk zet', zei de eerste. 'Ik heb het haar al één keer gezegd, ik heb het haar al duizenden keren gezegd...'

'GROENTEN, GEEN DIEREN!' schreeuwden ze alledrie in koor, en beefden van woede.

Het insect dat Twijg in zijn klauwen hield, onderzocht hem van dichtbij. 'Niet zoals de insecten die we gewoonlijk krijgen', stelde het vast. 'Deze hier heeft haar.' Toen, zonder enige waarschuwing, slingerde het zich plotseling naar één kant en beet venijnig in Twijgs arm.

'AU!' krijste Twijg.

'Eeeeyuk', piepte het spilinsect. 'Het smaakt *zuur*!'

'Waarom deed je dat?' vroeg Twijg.

'*En* het kan spreken', zei een ander verbaasd. 'Stop het maar snel in de verbrandingsoven voor het last geeft.'

Twijg snakte naar adem. De *verbrandingsoven*? Hij wrikte zichzelf los uit de nijptanggreep van het insect en schoot ervandoor langs de wirwar van opgehoogde voetpaden. Onmiddellijk weerklonk een schril alarm toen de vier woedende insecten de achtervolging inzetten.

Naarmate Twijg holde, begon het ondergrondse landschap te veranderen. Hij passeerde veld na veld dat werd geschoffeld en geharkt door nog meer tuinierende insecten. Verder, en de bodem was gespikkeld met de roze vlekken van iets dat begon te kiemen. Nog verder, en de velden stonden vol glanzend roze paddestoelen die opschoten als sponzige geweien.

'Nu hebben we je te pakken', hoorde hij een stem.

Twijg hield glijdend halt. Voor hem stonden twee spil-

lepoten. Hij draaide zich om. De andere twee naderden achter hem. Hij had geen keus. Twijg sprong het pad af en ijlde door het veld, een spoor van vertrappelde roze paddestoelen achterlatend.

'HIJ LOOPT DOOR DE PADDESTOELENBEDDEN', gilden de insecten. 'HIJ MOET WORDEN GESTOPT!'

Twijgs hart zonk hem in de schoenen toen hij besefte dat hij niet alleen was tussen de roze paddestoelen. Het hele veld zat tjokvol reusachtige, voortsjokkende wezens, die net zo doorzichtig waren als de insecten, en allemaal van de paddestoelen aan het smullen waren. Twijg zag het verorberde voedsel biggelen door buizen in hun lichamen, tot in de maag en daarna verder via

de staart naar een gigantische, bolvormige zak gevuld met een roze vloeistof. Een van de beesten wierp een blik omhoog en liet een laag gegrom horen. Andere vielen in. Spoedig bonsde de lucht van het bulderende gegrom.

'GRIJP HET ONGEDIERTE!' klonk de schrille kreet van de tuinierinsecten.

De melkslaven begonnen te naderen.

Twijg schoot een kant op, duikend tussen de massieve beesten die naar hem toe strompelden. Schuivend en glijdend over de vertrappelde paddestoelen bereikte hij net op tijd de overkant. Zelfs toen hij het talud aan het beklauteren was, voelde hij de hete adem van een

van de melkslaven, die naar zijn enkels hapte.
Twijg keek angstig om zich heen. Links en rechts lagen
de voetpaden, maar beide richtingen waren geblok-
keerd. Achter hem waren de melkslaven, die
steeds dichterbij schuifelden. Voor hem uit
zag hij een gegroefde helling, die in de
schaduwen verdween.
'Wat nu?' hijgde hij. Hij had geen
keus. Hij *moest* de helling afdalen. Hij
draaide zich om en raasde halsoverkop de
schaduwrijke duisternis in.
'HIJ LOOPT NAAR DE HONINGPUT!'
gierden de spillepoten. 'SNIJ HEM DE
PAS AF! *nu!*'
Maar met hun enorme honingzakken die ze voorzichtig met zich
meezeulden, waren de melkslaven veel te traag. Twijg liep zo
hard hij kon en had al
snel een flinke voor-
sprong op hen ver-
worven. Als ik
maar... dacht
Twijg. Plotseling
opende de
grond
zich.

Twijg schreeuwde het uit. Hij liep te snel om te kunnen stoppen.

'NEE!' Zijn benen peddelden wanhopig in de lucht.

'AAAAARGH!' schreeuwde hij, en stortte pijlsnel neer.

PLOP!

Hij landde midden in een poel en ging kopje-onder. Een ogenblik later kwam hij proestend en hoestend weer aan het oppervlak en spatte met zijn armen wild om zich heen.

De heldere, roze vloeistof was warm en zoet. Ze vulde Twijgs oren en ogen, zijn mond; hij voelde wat van het goedje in zijn keel glijden.

Hij staarde omhoog naar de loodrechte oevers van de poel en gromde. Dingen gingen van kwaad naar erger. Hier raakte hij *nooit* uit.

Hoog boven hem kwamen de spillepoten en melkslaven tot hetzelfde besluit. 'Niets aan te doen', hoorde Twijg hen zeggen. '*Zij* zal het moeten oplossen. *Wij* hebben werk te doen.'

En met deze woorden – terwijl Twijg zwoegend watertrappelde in de kleverige vloeistof – hurkten de spillepoten neer en begonnen aan tepels te rukken op de honingzakken van de melkslaven. Roze stralen spoten omlaag in de put.

'Ze melken ze', stamelde Twijg stomverbaasd. De kleverige, roze honing belandde overal om hem heen. 'HAAL ME HIERUIT!' brulde hij. 'Jullie kunnen me niet hier achterlaten.... blobber blobber blob blob...'

Twijg begon te zinken. Het hamelhoornhuidvest, dat tevoren zijn leven had gered, dreigde hem nu het leven te benemen. De dikke vacht had de kleverige vloeistof geabsorbeerd en was loodzwaar geworden. Dieper, dieper, steeds dieper werd Twijg getrokken, met open ogen, de stroperige roze brij in. Hij probeerde opnieuw naar het oppervlak te zwemmen, maar zijn armen en benen leken hout geworden te zijn. Hij was aan het eind van zijn krachten.

Verdronken in roze honing, dacht hij beroerd.

En alsof *dat* nog niet erg genoeg was, besefte hij dat hij niet alleen was. Iets verstoorde de rimpelloosheid van de poel. Het was een lang, slangachtig wezen met een indrukwekkende kop dat door de roze vloeistof woelde. Twijgs hart bonsde in zijn oren. Verdronken of verslonden. Wat een keus! Hij begon wild in het rond te kronkelen en om zich heen te schoppen.

Maar het beest was veel te snel voor hem. Zijn lichaam kronkelde zich rond Twijg, de wijde gapende kaken kwamen van onderuit – en slokten hem helemaal op.

Omhoog, omhoog, steeds hoger ging hij, door de roze stroop en... eruit. Twijg snakte naar adem en blafte en zoog zijn longen met diepe teugen vol frisse lucht. Hij wreef zich de ogen uit en zag voor de eerste maal wat het lange lichaam en de indrukwekkende kop in werkelijkheid waren. Een touw en een emmer.

Voorbij de steile muren schoot hij; voorbij de groep hoekige spillepoten, die de laatste druppels roze honing uit de nu lege uiers van hun melkslaven aan het persen waren, en verder tot de bovenste delen van de grote spelonk. De emmer schommelde vervaarlijk. Twijg hield zich stevig aan het touw vast en durfde

nauwelijks – hoewel niet in staat het *niet* te
doen – omlaag te kijken.

Diep onder hem lag de lappen-
deken van roze en bruine velden. Boven hem kwam een
zwart gat in het gloeiende
dak dichter en dichter
en...

Plotseling kwam zijn
hoofd boven en bevond
hij zich weer in de dampige
hitte van de keuken. Het
vette en kwabbige gezicht van de
Blubbermoeder verscheen pal boven hem.

'O, nee', kreunde Twijg.

Zweet stroomde van Blubbermoeders opbollende
voorhoofd en wangen terwijl ze het uiteinde van het
touw bemachtigde. Haar lichaam waggelde bij elke beweging, klotsend en schokkend als een zak olie. Twijg
dook weg toen ze de emmer losmaakte, en bad dat ze
zijn hoofdkruin boven het honingoppervlak niet zou
opmerken.

Toonloos neuriënd sleurde de Blubbermoeder de volle
emmer boven het fornuis, tilde hem op tot boven haar
schouders en goot hem morsend uit in een pot. Twijg
duikelde de borrelende drab in met een zompige *plof*.

'Ugh', riep Twijg uit, maar zijn kreet van afschuw werd
overstemd door het hijgen en puffen van de Blubbermoeder, die terugkeerde naar de put om nog meer honing op te halen.

De honing was heet – heet genoeg om de heldere emmer onmiddellijk ondoorzichtig te maken. Het goedje
gorgelde en plofte rond hem en spatte in zijn gezicht.
Twijg wist dat hij zich uit de voeten moest maken voor
hij levend werd gekookt. Hij hief zichzelf uit het dikker
wordende dampige mengsel tot op de rand van de ke-
tel en plofte met een klets neer op het fornuis.
'Wat nu?' vroeg hij zich af. De vloer bevond zich te
diep om een sprong te wagen, en straks was de Blubbermoeder terug met een verse emmer honing uit de
put. Hij haastte zich achter de pot, hurkte neer en
hoopte dat ze hem niet in de gaten kreeg.
Met een hart dat zo snel bonsde dat het bijna uit elkaar
spatte, luisterde Twijg hoe de Blubbermoeder neurie-
de, roerde en nipte van de kokende roze honing.
'Hmmm', mompelde ze, en smakte luid met haar lippen. 'Smaakt een beetje vreemd', zei ze peinzend.
'Nogal zuur...' Ze nipte nog eens van de honing en hik-

te. 'O, ik ben er zeker van dat het goed is.'

Ze waggelde weg en graaide een paar handdoeken van de tafel. Twijg keek wanhopig om zich heen. De honing was klaar. Klaar om in de voedingsbuis te worden geschonken. Dadelijk ziet ze me! dacht hij.

Maar Twijg had geluk. Toen de Blubbermoeder de handdoeken om de eerste kokendhete pot sloeg en hem van het vuur haalde, dook Twijg vliegensvlug achter de tweede. En toen ze de eerste pot weer op het fornuis plofte en de tweede meenam om te legen, schoot hij weer achter de eerste. De Blubbermoeder was zo gefixeerd op het voeden van haar jongens dat ze niets merkte.

Twijg hield zich schuil toen de Blubbermoeder de tweede reusachtige pot met veel moeite leegde in de voedingsbuis. Na heel wat grommen en knorren hoorde hij een ratel tikken. Hij piepte tevoorschijn.

De Blubbermoeder trok een hendel op en neer. Hierdoor zonk de lange buis, nu gevuld met de warme, roze honing, door de vloer en in de kamer eronder. Ze trok aan een tweede hendel, en hij hoorde de klik en het gorgelende geluid van de honing die zich in de trog stortte. Een gebrul van vraatzuchtige vreugde steeg op vanuit de zaal eronder.

'Ziezo', fluisterde de Blubbermoeder, en een tevreden glimlach verspreidde zich over haar kolossale gelaatstrekken. 'Eet smakelijk, jongens. Geniet van de maaltijd.'

Twijg schraapte de kleverige honing van zijn jas en likte zijn vingers af.

'Yeuch!' riep hij en spuwde alles gelijk weer uit. De gekookte honing smaakte walgelijk. Met de achterkant van zijn hand veegde hij zijn mond schoon. Tijd om het hazenpad te kiezen. Als hij wachtte tot de Blubbermoeder het fornuis begon schoon te maken, was hij letterlijk en figuurlijk gezien. En het allerlaatste dat hij wilde was opnieuw in de afvalschacht geworpen te worden. Maar waar *was* de Blubbermoeder?

Twijg perste zichzelf tussen de twee lege potten en tuurde de keuken rond. Nergens viel ze te bespeuren.

Intussen leek de tumultueuze opwinding in de zaal onder hem niet af te nemen. Meer nog, het gekrijs werd luider en – althans in Twijgs oren – steeds opruiender. Ook de Blubbermoeder voelde dat er iets niet pluis was. 'Wat is er aan de hand, mijn schatjes?' hoorde Twijg haar zeggen.

In paniek dook hij weer weg en verborg zich in de schaduwen. En daar was ze, haar monsterachtige gedaante neergevlijd in een leunstoel in de verste hoek van de keuken. Haar hoofd hing achterover en met een doekje wiste ze het zweet van haar voorhoofd. Ze leek bezorgd.

'Wat *is* er?' vroeg ze nogmaals.

Twijg kon het niets schelen wat er aan de hand was. Dit was zijn kans om te ontsnappen. Als hij de twee handdoeken aan elkaar knoopte, moest hij in staat zijn om zich tot op de vloer te laten zakken. Hij wurmde zich weer tussen de kookpotten, maar te snel. In zijn haast stootte hij een pot om en kon alleen verschrikt toekijken hoe de pot kantelde, weg van hem. Een ogenblik lang zweefde hij in de lucht, maar kletterde toen met een welluidende KLANG! op de grond.

'O, mijn god!' piepte de Blubbermoeder en sprong verbazend snel overeind. Ze zag de gevallen pot. Ze zag Twijg. 'Aaaaah!' gilde ze, met fonkelende kraaloogjes. 'Nog meer ongedierte! Bij mijn kookpotten!'

Ze greep haar zwabber, hield hem voor zich uit en waggelde vastberaden naar het fornuis. Twijg stond te bibberen op zijn benen. De Blubbermoeder bracht de zwabber tot boven haar hoofd en... bevroor. De uitdrukking op haar gezicht veranderde van woede in doodsangst.

'Je... je hebt toch niet *in* de honing gezeten, hé?' zei ze. 'Zeg dat je er niet in gezeten hebt. Dat je die niet hebt bezoedeld, aangelengd... jij afgrijselijk, weerzinwekkend klein gedrocht. Alles is mogelijk als de honing zuur is. *Alles.* Mijn jongens worden er wild van. Je weet niet...'

Op dat ogenblik vloog de deur open en een woedend geschreeuwd 'DAAR IS ZE' weerklonk.

De Blubbermoeder draaide zich om. 'Jongens, jongens', zei ze lief. 'Jullie *weten* dat de keuken verboden terrein is.'

'Grijp haar!' gilden de kobolds. 'Ze probeerde ons te vergiftigen.'

'Welnee, dat probeerde ik helemaal niet', jankte de Blubbermoeder terwijl ze terugweek voor de naderende stroom kobolds.

De Blubbermoeder richtte zich tot Twijg, hief een kwabbige arm op en wees hem met een vette vinger aan. 'Het was... *dat!*' gilde ze. 'Het is in de honingpot gekropen.'

De drabkobolds geloofden er geen snars van. 'Laten we haar doden!' huilden ze woedend. Het volgende ogenblik zaten ze overal op haar. Massa's van hen. Gillend en schreeuwend trokken ze haar op de grond en begonnen haar over de kleverige vloer te rollen naar de afvalschacht.

'Het was gewoon een slechte... *ooof*... een slechte lading', knorde ze. 'Ik zal... *unnh*... Mijn maag...! Ik zal een nieuwe pot klaarmaken!'

Maar de kobolds waren doof voor haar excuses en beloften, en ramden haar hoofd de schacht in. Haar steeds wanhopiger smeekbeden werden gedempt. De kobolds kwamen overeind en sprongen op haar immense lichaam in een poging om het door de smalle opening te persen. Ze knepen haar uit. Ze persten haar leeg. Ze stompten en stampten haar tot plotseling, met een pappige *plopf*, de immense waggelende massa vet verdween.

Intussen was Twijg eindelijk van het fornuis geklauterd en ging er pijlsnel vandoor. Net toen hij de deur bereikte, hoorde hij een gigantisch SPLOTCH! echoën door het gat. Hij wist dat de Blubbermoeder geland was op een van de composthopen in de grote spelonk. Uitzinnig van vreugde dansten en juichten de kobolds. De gifmengster was eraan. Maar ze waren nog niet tevreden. Ze richtten hun woede op de keuken zelf. Ze vernielden de gootsteen. Ze sloegen het fornuis kort en klein. Ze braken de hendels af en braken de buis. Ze

gooiden de potten en roerspatels tuimelend in de schacht, en bulderden van het lachen toen een 'Au, mijn hoofd!' opsteeg uit de diepe spelonk.

En *nog steeds* waren ze niet klaar! Woedend wierpen ze zich op de honingput, sloegen erop, schopten erop, vermorzelden hem in duizenden kleine stukjes, tot er niets meer van restte dan een gat in de vloer.

'Haal de kasten! Haal de legplanken! Haal haar leunstoel!' gilden ze, en duwden en schoven alles wat ze in hun handen kregen naar het gat dat ze hadden gemaakt. Uiteindelijk bleef er niets meer over in de keuken behalve Twijg zelf. Een ijzingwekkende schreeuw steeg op, zoals het gebrul van een gewond dier dat tekeergaat van de pijn. 'Grijp *hem*!' gilden de kobolds.

Twijg draaide zich bliksemsnel om, racete door de deur en schoot weg door de flauw verlichte tunnel. De drabkobolds snorden hem achterna.

Naar links en naar rechts holde Twijg.

Verder en verder

door de eindeloze doolhof
van de honingraatvormige
kolonie.

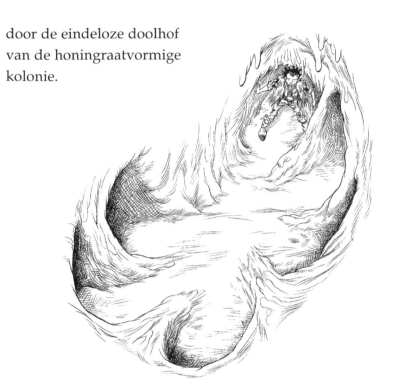

Het geluid van de woedende kobolds nam geleidelijk
af tot het helemaal weggestorven was.

'Ik ben ze kwijt', zuchtte Twijg opgelucht. Hij tuurde
door de tunnel, die zich eindeloos ver voor en achter
hem uitstrekte. Hij slikte zenuwachtig. 'Ik ben ook *mezelf* kwijt', mompelde hij bedroefd.

Enkele minuten later bereikte Twijg een kruispunt. Hij
hield halt. Zijn maag knorde. Hij telde twaalf tunnels,
die elk in een andere richting gingen, zoals de spaken
van een wiel.

'Welke kant op?' zei hij en gromde. Alles was verkeerd
gelopen. Alles! Hij was niet alleen van het pad afgedwaald, nu was hij er ook in geslaagd om van het *bos*

af te dwalen! 'En *jij* wilde met een luchtschip varen', sprak hij bitter tot zichzelf. 'Veel kans! Een stomme slungel van een mislukte woudtrol, meer ben je niet.' En in zijn hoofd hoorde hij de stemmen van Spelda en Tuntum die hem nog maar eens berispten. 'Hij wilde niet luisteren. Hij leert het nooit.'

Twijg sloot zijn ogen. Hij deed wat hij altijd deed als hij de weg kwijt was en hij niet zelf de keus kon maken: hij stak zijn arm uit en begon rond te tollen:

'Welk? Wat? Waar? Wie?
Ik kies DIE!'

Hij opende zijn ogen en staarde de tunnel in die het lot voor hem had aangewezen.

'Geluk is voor de onwetenden en zwakkelingen', klonk een stem die Twijg kippenvel bezorgde.

Hij draaide zich om. Daar, half verborgen in de schaduwen, stond een kobold. Zijn ogen schitterden als vuur. Wat betekende deze plotselinge verandering in het gedrag van de drabkobold? vroeg Twijg zich verwonderd af.

'Als je echt uit de kolonie wenst te komen, Meester Twijg,' zei de kobold met zachte stem, 'moet je me volgen.' Bij deze woorden draaide hij zich om en stapte weg.

Twijg slikte nerveus. Natuurlijk wilde hij hier uit, maar wat als het een valstrik was? Wat als hij in een hinderlaag werd gelokt?

Het was heet in de tunnel, zo verstikkend heet dat hij

zich duizelig en misselijk voelde. Het lage, wassen plafond scheidde kleverige druppels af, die op zijn hoofd
spatten en langs zijn nek gleden. Zijn maag deed pijn
van de honger.

'Ik heb geen keus', fluisterde hij.

De jas van de kobold flapperde de hoek
om en verdween uit het zicht. Twijg
volgde.

Samen stapten ze langs tunnels,
trappen op en af en door lange,
lege kamers. De lucht was
bedorven door de geur van
rotting en verval; Twijg kon
nauwelijks ademhalen en
zijn hoofd duizelde. Zijn
huid voelde klam aan; zijn
tong was kurkdroog.

'Waar gaan we heen?'
riep hij zwak uit. 'Vol-
gens mij ben je net als ik
de weg kwijt.'

'Vertrouw me maar,
Meester Twijg', klonk
het vleiende ant-
woord, en terwijl hij
deze woorden uitte,
voelde Twijg een frisse
bries over zijn gezicht waaien.

Hij sloot zijn ogen en ademde de frisse lucht met volle
teugen in. Toen hij zijn ogen weer opende, viel de ko-

bold nergens meer te bespeuren. Het volgende ogenblik, nadat hij een hoek omgeslagen had, merkte Twijg
licht. Zonlicht! Naar binnen stromend door de uittorenende, overkoepelde poort.

Twijg zette het op een hollen. Sneller en sneller sprint-
te hij, nauwelijks in staat te geloven dat het hem gelukt
was. Langs de laatste tunnel... door de zaal... en BUITEN!

'JIPPIE!' gilde hij.

Voor hem stond een groep van drie drabkobolds. Ze
draaiden zich om en staarden hem wezenloos aan.

'Ha, makkers, alles goed?' vroeg Twijg vrolijk.

'Zien we eruit alsof alles goed is?' zei de eerste.

'Onze Blubbermoeder probeerde ons te vergiftigen',
zei de tweede.

'Dus hebben we haar gestraft', zei de derde.

De eerste keek beroerd omlaag naar zijn smerige blote voeten. 'Maar we gingen overhaast te werk', zei hij.

De anderen knikten. 'Wie zal ons nu voeden? Wie zal ons beschermen tegen de Schemergluiperd?' spraken ze.

Plotseling konden ze alledrie hun tranen niet meer bedwingen. 'We hebben haar *nodig*', jankten ze in koor.

Twijg staarde de vieze drabkobolds in hun smerige kleren aan en snoof. 'Jullie *moeten* leren om voor jezelf te zorgen', zei hij.

'Maar we zijn moe en hebben honger', huilden de kobolds.

Twijg keek hen woedend aan. 'Wat...' Hij wachtte eventjes. Hij wou zeggen: 'Wat dan nog?', zoals de drie niet-hulpvaardige kobolds hem hadden toegesnauwd. Maar hij was geen drabkobold. 'Ik ook', zei hij, niets meer. 'Ik ook.'

En met deze woorden draaide hij zich om en stapte weg van de koboldkolonie, stak het plein over en trok opnieuw het donkere Diepe Woud in.

HOOFDSTUK ACHT

DE GABBERBEER

Twijg maakte de knopen van zijn wollige jas los terwijl hij verder wandelde. De wind was van richting veranderd en in de lucht hing een herfstgevoel. Het weer was net zo onvoorspelbaar als alles in het gevaarlijke Diepe Woud.

Overal om hem heen droop het bos, want een recente sneeuwval smolt snel van het gewelf boven zijn hoofd. Twijg, die nog steeds helemaal verhit was, sloot zijn ogen en keek omhoog. Het ijskoude water spatte op zijn gezicht. Het was verkoelend en verfrissend.

Plotseling viel een groot en zwaar voorwerp op Twijgs hoofd – BOEF – zo hard dat hij plat ging. Roerloos bleef hij liggen, bang om te kijken. Wat had hem geraakt? De Schemergluiperd? Kon dit vreselijke wezen *echt* bestaan? Als het bestond, dan haalde het niets uit als hij zich laf gedroeg. Twijg opende zijn ogen, sprong overeind en trok zijn mes.

'Waar ben je?' schreeuwde hij. 'Kom tevoorschijn!'

Er verscheen niets. Helemaal niets. En het enige geluid dat hij hoorde, was het voortdurende 'drip drip drip' van de bomen. Toen volgde de tweede BOEF. Twijg draaide zich vliegensvlug om. Een gigantisch sneeuwkussen, dat van de overhangende takken gegleden moest zijn, had een kamstruik volledig verpletterd.

Twijg stak zijn hand op. Er lag sneeuw in zijn haar. Waar hij ook keek, lag sneeuw. Hij begon te lachen. 'Sneeuw', zei hij. 'Meer is het niet. Gewoon sneeuw.'

Het druppelen werd steeds erger toen Twijg zijn reis voortzette. Het was net een zware plensbui, die bij bakken uit de hemel kwam. Al snel was Twijg doorweekt, en hoe dieper hij het Diepe Woud in trok, hoe modderiger de grond werd. Iedere stap die hij zette, was een inspanning – een inspanning die nog zwaarder werd door de knagende honger.

'Bij de slachters', mompelde Twijg. 'Toen heb ik voor het laatst iets fatsoenlijks gegeten. En de Hemel weet hoelang dat al geleden is.'

Twijg keek op. De zon scheen helder, en zelfs op de diamantgespikkelde grond kon hij de rijpende warmte voelen. Fijne slierten mist stegen op uit de zompige bodem. En terwijl de hamelhoornhuid droogde, begon Twijg zelf te stomen.

Zijn honger viel onmogelijk te ontkennen. Het wriemelde en knorde in zijn maag. Hij gromde ongeduldig. 'Ik weet het, ik weet het', zei Twijg. 'Zodra ik iets vind, krijg je het. Maar de moeilijkheid is: wat?'

Toen hij bij een boom kwam waaraan zware, donkerpaarse vruchten bengelden, stopte hij. Enkele van de ronde, mollige gewassen waren zo rijp dat hun schil openbarstte en het gouden sap eruit drupte. Twijg lik-

te zijn lippen. Het fruit zag er zo sappig zoet uit, zo zalig heerlijk. Hij strekte zich uit en plukte er een.
De vrucht voelde heerlijk zacht aan en kwam onmiddellijk los van zijn stengel. Twijg draaide ze in zijn
hand. Hij wreef ze schoon aan zijn harige jas. Langzaam bracht hij de vrucht naar zijn mond en...

'Nee!' zei hij. 'Ik durf niet.' En hij slingerde de vrucht weg. Zijn maag protesteerde luid knorrend. 'Je zult nog wat moeten wachten', snauwde Twijg en stapte boos verder, onhoorbaar mompelend hoe stom hij geweest was om zelfs maar te *overwegen* iets te eten dat hij niet kende. Want hoewel er in het Diepe Woud ontelbaar veel lekkere en voedzame vruchten en bessen groeiden, waren er ontelbaar veel meer die dodelijk waren. Eén druppeltje van de roze hartappel bijvoorbeeld was voldoende om je ter plekke te doden. En de dood was lang niet het enige gevaar. Er was fruit dat je blind maakte, fruit dat in je buik ontplofte, fruit dat je verlamde. Van één soort fruit, de schraapwortbes, kreeg je een blauwe, wrattige huiduitslag die nooit meer verdween. En een andere soort, de schubvrucht, deed wie ervan at krimpen – hoe meer je ervan smulde, hoe kleiner je werd. De ongelukkigen die er te veel van aten, verdwenen zelfs helemaal.

'*Veel* te gevaarlijk', prentte Twijg zichzelf in. 'Ik zal het moeten uithouden tot ik op een boom bots die ik ken.' Maar op zijn tocht door het Diepe Woud was er tussen de ontelbaar verschillende soorten bomen geen enkele die hij herkende.

'Dat komt ervan als je bij woudtrollen opgroeit', zuchtte hij verveeld.

Omdat de woudtrollen nooit van het pad afweken, deden ze een beroep op anderen om hen te voorzien van vruchten uit het Diepe Woud. Het waren ruilhandelaars, geen fourageurs. Nu, meer dan ooit, wenste Twijg dat het anders was.

Twijg probeerde niet te letten op het aanhoudende geknor in zijn maag en stapte verder. Zijn lichaam woog zwaar als lood maar zijn hoofd was merkwaardig licht. Geuren om van te likkebaarden zweefden hem vanuit fruitbomen tegemoet, en de vruchten zelf leken verlokkelijker dan ooit te glimmen. Want honger is een eigenaardig wezen. Honger stompt de geest af maar scherpt de zintuigen. En toen een twijg kraakte, een heel eind voor hem uit, hoorde Twijg het alsof die vlak naast hem was geknakt.

Hij bleef staan en tuurde voor zich uit. Daar was iets of iemand. Twijg stapte behoedzaam voorwaarts, er angstvallig op lettend zelf niet een van de twijgen onder zijn voeten te knakken. Steeds dichter naderde hij, stuivend van boom tot boom. Hij hoorde iets kermen en dook uit het zicht. Vervolgens, met kloppend hart, sloop hij behoedzaam dichterbij, angstig om zich heen turend – tot hij pal tegenover een gigantische en harige berg van een beest stond.

Het beest wreef zachtjes met een massieve klauw over de zijkant van zijn kop. Toen hun ogen elkaar ontmoetten, gooide het schepsel zijn kop achteruit, ontblootte zijn tanden en huilde naar de hemel.

'Aaaargh!' schreeuwde Twijg, en klauterde weer achter de boom.

Bevend van angst hoorde hij het versplinteren en kraken van knakkende takken, veroorzaakt door het ervandoor sjokkende beest, dat zich een weg sloeg door het kreupelhout. Plotseling stopte het lawaai, en de lucht vulde zich met een klagend jodelen. Het volgen-

de ogenblik jodelde een tweede stem bij wijze van antwoord.

'Gabberberen!' zei Twijg.

Hij had er al vaak over gehoord, maar dit was de allereerste keer dat hij er een zag. Het beest was nog vele
malen groter dan hij zich had ingebeeld.

Hoewel verbazingwekkend groot en sterk, is de gabberbeer eerder schuchter van aard. Van zijn grote, sombere ogen wordt gezegd dat ze de wereld groter zien
dan hij in werkelijkheid is.

Twijg gluurde opnieuw rond de boom. De gabberbeer was verdwenen. Een spoor van platgetrapte vegetatie leidde het bos in. 'Dat pad volg ik in elk geval *niet*', zei hij. 'Ik...'

Hij verstarde ter plekke. De gabberbeer was helemaal *niet* verdwenen. Hij stond er onmiskenbaar, op nauwelijks tien stappen. Zijn bleekgroene vacht vormde een bijna perfecte camouflage voor het dier. 'Wuh!' gromde het zacht en hief een gigantische poot naar zijn wang. 'Wuuu-uh?'

Het schepsel was waarlijk imposant groot, minstens tweemaal zo groot als Twijg zelf, en gebouwd als een reusachtige piramide. Het had poten als boomstammen, en armen die zo lang waren dat de knokkels over de grond sleepten. De vier klauwen op het einde van elke ledemaat waren alle zo lang als Twijgs onderarmen, net als de twee slagtanden die zich opwaarts kromden uit zijn onderkaak. Alleen zijn oren – gevoelige, vleugelvormige objecten, die steeds fladderden – zagen er niet uit alsof ze uit rots waren gehouwen.

De gabberbeer fixeerde zijn droevige ogen op Twijg. 'Wuu-uh?' gromde hij.

Het dier leed pijn, dat was wel duidelijk. Ondanks zijn afmetingen leek het vreemd kwetsbaar. Twijg wist dat het zijn hulp nodig had. De gabberbeer wist hetzelfde. Twijg glimlachte. 'Wat scheelt eraan?' vroeg hij lief.

De gabberbeer sperde zijn muil wijd open en porde onhandig met één klauw in zijn bek. 'Uh-uuh.'

Twijg slikte zenuwachtig. 'Laat me eens kijken', zei hij.

De gabberbeer sjokte dichterbij. Hij bewoog door beide

voorpoten op de grond te plaatsen en zijn achterpoten voorwaarts te slingeren. Toen hij naderde, merkte Twijg tot zijn verrassing dat grijsgroen mos op zijn vacht groeide. Dus hierdoor lijkt de gabberbeer groen, dacht Twijg.

'Wuh', gromde hij toen hij voor de jongen ging staan. Hij opende zijn bek en Twijg werd gevangen in een stroom rotte, warme lucht.

Huiverend draaide hij zich weg. 'WUH!' gromde de gabberbeer ongeduldig.

Twijg keek op. 'Ik... Ik kan er niet bij', legde hij uit. 'Zelfs al sta ik op de toppen van mijn tenen. Je zult moeten gaan liggen', zei hij en wees naar de grond.

De gabberbeer knikte met zijn kolossale kop en ging mak aan Twijgs voeten liggen. En toen Twijg in de reusachtige en bedroefde ogen keek, zag hij in de donkergroene dieptes iets trillen wat hij nooit verwacht had. Het was angst.

'Muil wijd open', zei Twijg zacht, en hij opende zijn eigen mond om te tonen wat hij bedoelde. De gabberbeer volgde zijn voorbeeld. Twijg staarde in de spelonkachtige muil van het dier, over de rijen woeste tanden en de gapende tunnel van zijn keel. Toen zag hij het, helemaal achteraan in de muil links: een tand die zo rot was dat hij niet geel, maar helemaal zwart was.

'Goeie grutjes', riep Twijg uit. 'Geen wonder dat je pijn hebt.'

'Wuh wuh, wh-uuuh!' bromde de gabberbeer en trok zijn hand herhaaldelijk weg van zijn bek.

'Wil je dat ik hem uittrek?' vroeg Twijg.

De gabberbeer knikte, en een dikke traan rolde uit de hoek van elk oog.

'Eventjes flink zijn', fluisterde Twijg. 'Ik zal proberen je geen pijn te doen.'

Hij knielde neer, rolde zijn mouwen op en bestudeerde de muil van de gabberbeer aandachtig. De tand, hoewel hij in het niets verzonk bij de twee gigantische slagtanden, was nog steeds zo groot als een kleine mosterdpot. Het tandvlees waarin hij genesteld zat, was zo rood en opgezwollen dat het leek alsof het elk ogenblik kon barsten. Twijg reikte behoedzaam naar de rotte tand en greep hem vast.

Onmiddellijk schrok de gabberbeer terug en wendde zich onverhoeds af. Eén messcherpe slagtand schraapte over Twijgs arm, die begon te bloeden. 'Yow! Doe dat niet!' gilde hij. 'Als je wilt dat ik je help, dan moet je volkomen stil blijven zitten. Gesnapt?'

'Wuh-wuh!' mummelde de gabberbeer.

Twijg ondernam een tweede poging. En deze keer, hoewel zijn grote ogen zich tot spleetjes vernauwden van de pijn, verroerde de gabberbeer niet toen Twijg de tand beetnam.

'Trek en draai', instrueerde hij zichzelf terwijl hij zijn greep op de aangetaste tand verstevigde. Hij zette zich schrap. 'Drie. Twee. Een. NU!' gilde hij.

Twijg rukte en draaide. Hij trok zo hard dat hij achterover tuimelde, en in zijn val de tand loswrong. De tand trilde en schuurde toen de wortels uit het tandvlees werden getrokken. Bloed en pus spoten eruit. Twijg kwam met een harde smak op de grond neer. In zijn handen hield hij de tand.

De gabberbeer sprong overeind, met wild draaiende ogen. Hij ontblootte zijn tanden, trommelde op zijn harige borst, en brak de stilte van het Diepe Woud met een verdovend gebrul. Toen, overweldigd door een uitzinnige woede, begon hij wild het omringende woud te vernielen. Struiken werden ontworteld, bomen omvergeworpen.

Twijg staarde hem doodsbang aan. De pijn moet het arme schepsel helemaal gek hebben gemaakt. Hij klauterde overeind en probeerde weg te sluipen voor het beest zijn woede op hem kon richten...

Maar het was al te laat. De gabberbeer had hem vanuit een van zijn ooghoeken in de gaten gekregen. Hij

draaide zich om. Hij rukte een jong boompje uit. 'WUH!'
bulkte hij en sprong naar hem toe, met wilde ogen en
glinsterende tanden.

'Nee', fluisterde Twijg, vervuld van schrik dat hij in
stukken zou worden gescheurd.

Het volgende ogenblik had de gabberbeer hem te pakken. Hij voelde hoe de massieve armen zich rond hem
sloten en rook de muffe geur van de mossige vacht
toen hij tegen de buik van het schepsel werd geplet.

En zo bleven ze staan. Jongen en gabberbeer, elkaar
dankbaar knuffelend in het gespikkelde middaglicht
van het Diepe Woud.

'Wuh-wuh', zei de gabberbeer ten slotte, en maakte zijn greep losser. Hij wees in zijn muil en krabde zich vragend in het haar.

'Jouw tand?' zei Twijg. 'Die heb ik hier', en hij liet de gabberbeer de tand op de palm van zijn hand zien.

Heel voorzichtig voor zo'n immense massa, nam de gabberbeer de tand en veegde hem aan zijn vacht af. Toen hield hij hem in het licht, zodat Twijg het weggevreten gat kon zien. 'Wuh', klonk het. Het beest raakte de amuletten om Twijgs nek aan, en overhandigde opnieuw de tand.

'Wil je dat ik hem om mijn nek draag?' vroeg Twijg.

'Wuh', antwoordde de gabberbeer. 'Wuh-wuh.'

'Voor geluk', sprak Twijg.

De gabberbeer knikte. En toen Twijg de tand geregen had aan de ketting met de geluksamuletten van Spelda, knikte hij opnieuw tevreden.

Twijg glimlachte. 'Voel je je al wat beter?'

De gabberbeer knikte plechtig. Toen raakte hij zijn borst en stak zijn arm naar Twijg uit.

'Of je mij een wederdienst kunt bewijzen?' vertaalde Twijg. 'Reken maar! Ik ben uitgehongerd', zei hij. 'Voedsel, voedsel', voegde hij eraan toe, over zijn maag wrijvend.

De gabberbeer leek in de war. 'Wuh!' gromde hij, en beschreef een wijde cirkel met zijn arm.

'Ja, maar ik weet niet wat er veilig is om te eten', verduidelijkte Twijg. 'Goed? Slecht?' zei hij, wijzend naar verschillende vruchten.

De gabberbeer wenkte, en leidde hem naar een grote,

belvormige boom met bleekgroene bladeren en helder-
rode vruchten, die zo rijp waren dat het sap eruit druppelde. Twijg likte begerig zijn lippen. De gabberbeer
reikte omhoog, plukte voorzichtig een vrucht en gaf
die aan Twijg.

'Wuh', drong hij grommend aan, en wreef over zijn eigen maag. Het fruit was lekker en Twijg moest eten.

Twijg nam de vrucht aan en zette er zijn tanden in. Het
was meer dan lekker. Het was goddelijk! Zoet, sappig
en met een zweem van woudgember. Toen hij het achter de kiezen had, richtte hij zich tot de gabberbeer en
wreef opnieuw over zijn maag. 'Nog meer', zei hij.

'Wuh', grijnsde de gabberbeer.

*

Ze vormden een vreemd koppel – de harige berg en de
magere jongen – en soms vroeg Twijg zich af waarom
de gabberbeer in zijn buurt bleef. Want het was zo'n
immens groot beest en het wist zoveel over de gehei-
men van het Diepe Woud dat het Twijg helemaal niet
nodig had.

Misschien had ook de gabberbeer zich eenzaam gevoeld. Misschien was hij Twijg dankbaar voor het ver-
wijderen van de pijnlijke tand. Of misschien was de reden simpelweg dat de gabberbeer hem aardig vond.
Twijg hoopte het laatste. *Hij* vond de gabberbeer in elk
geval erg aardig – hij hield meer van hem dan van alles wat hij ooit had gekend. Meer dan van Klishaar.
Meer dan van Krakkebeen. Zelfs meer dan van Kwebbelgrof, toen ze nog vrienden waren. Hoe ver weg en
lang geleden leek zijn leven met de woudtrollen...

Twijg besefte ineens dat Neef Snetterbast bericht moest hebben dat hij niet was komen opdagen. Wat zouden ze denken? Hij wist wat Tuntums norse antwoord zou zijn. 'Van het pad afgedwaald', hoorde hij zijn vader zeggen. 'Altijd geweten dat hij het zou doen. Hij is nooit een woudtrol geweest. Zijn moeder was veel te zachtaardig voor hem.'

Twijg zuchtte. Arme Spelda. Hij kon haar gezicht zien, nat van de tranen. 'Ik heb het hem gezegd', zou ze huilen. 'Ik heb hem gezegd op het pad te blijven. We hielden van hem als was hij een van ons.'

Maar Twijg was niet echt een van hen. Hij hoorde nergens – niet bij de woudtrollen, niet bij de slachters en zeker niet in de kleverige honingraten van de kolonie der drabkobolds.

Misschien was dit waar hij hoorde, samen met de eenzame, oude gabberbeer in het oneindige Diepe Woud, dolend van maaltijd tot maaltijd en slapend in de zachte, veilige, geheime plaatsen waarvan alleen gabberberen het bestaan kenden. Steeds op weg, nooit te lang op dezelfde plek blijvend, en nooit een pad volgend.

Soms, wanneer de maan boven de ijzerhouten pijnbomen steeg, stopte de gabberbeer en snoof de lucht op, klapwiekend met zijn kleine oren en zijn kleine ogen gesloten. Daarna haalde hij diep adem en liet een troosteloos gejodel weerklinken door de nachtelijke hemel.

Ver, heel ver weg kwam er dan een antwoord: nog een eenzame gabberbeer die terugriep over de onmetelijke uitgestrektheid van het Diepe Woud. Misschien zouden ze op een goede dag elkaar tegen het lijf lopen.

Misschien niet. Dat was het verdriet in hun lied. Het was een verdriet dat Twijg begreep.

'Gabberbeer?' vroeg hij, op een snikhete middag.

'Wuh?' antwoordde de gabberbeer, en Twijg voelde een reuzenpoot op zijn schouder, krachtig maar zacht.

'Waarom ontmoeten we nooit de gabberberen waar je 's nachts naar roept?' vroeg hij.

De gabberbeer haalde zijn schouders op. Het was wat het was, meer niet. Hij reikte omhoog en plukte een groene, stervormige vrucht van een boom. Hij prikte erin, snoof eraan – en gromde.

'Niet lekker?' vroeg Twijg.

De gabberbeer schudde zijn kop, spleet de vrucht open met een klauw en liet ze op de grond vallen. Twijg keek rond.

'En deze?' vroeg hij, wijzend op een kleine, ronde, hoog boven zijn hoofd bengelende vrucht.

De gabberbeer strekte zich helemaal uit en trok een tros af. Eraan snuivend draaide hij het fruit rond en rond in zijn massieve poten. Toen haalde hij voorzichtig één enkele vrucht van de tros, pelde het vlies er met zijn klauw af en snoof nog eens. Uiteindelijk proefde hij de siroopdruppels met het puntje van zijn lange, zwarte tong en smakte met zijn lippen. 'Wuh-wuh', bracht hij ten slotte uit, en overhandigde de hele tros.

'Heerlijk', slurpte Twijg. Wat een meevaller dat de gabberbeer er was om hem te tonen wat hij wel en niet kon eten. Hij wees naar zichzelf en toen naar de gabberbeer. 'Vrienden', zei hij.

De gabberbeer wees naar zichzelf en dan naar Twijg.

'Wuh', zei hij.

Twijg glimlachte. Hoog boven hem maar laag in de lucht zonk de hemel, en het licht in de hemel veranderde van citroengeel in een rijke gouden gloed, die door de bladeren stroomde als warme stroop. Hij geeuwde. 'Ik ben moe', zei hij.

'Wuh?' antwoordde de gabberbeer.

Twijg drukte zijn handen samen en liet de zijkant van zijn hoofd ertegen rusten. 'Slaap', zei hij.

De gabberbeer knikte. 'Wuh. Wuh-wuh', zei hij.

Toen ze vertrokken, glimlachte Twijg bij zichzelf. Nadat ze elkaar pas ontmoet hadden, hield het gesnurk van de gabberbeer hem wakker. Nu zou hij niet meer in slaap kunnen vallen zonder het geruststellende geronk naast hem.

Ze bleven stappen en Twijg volgde het pad dat de gabberbeer voor hem uittekende door het dichte kreupelhout. Toen ze bij een kolfdragende, blauwgroene struik kwamen, stak Twijg een hand uit en trok enkele parelvormige witte bessen af die in trossen groeiden onderaan elke kolf. Hij stopte een ervan in zijn mond.

'Zijn we er bijna?' vroeg hij.

De gabberbeer keerde zich om. 'Wuh?' zei hij. Plotseling vernauwden zijn grote ogen zich tot spleetjes en begonnen zijn spichtige oren te flappen.

'WUUUH!' brulde hij en haalde naar de jongen uit.

Wat was er nu weer aan de hand? Was de gabberbeer opnieuw gek geworden?

Twijg draaide zich vliegensvlug om en sprong aan de kant toen het massieve beest bulderend op hem afstormde. Hij kon hem ongewild verpletteren. De gabberbeer stortte op de grond, en drukte bij zijn val alle vegetatie plat. 'WUH!' brulde hij opnieuw, en sloeg wild naar Twijg.

Twijg ving de slag met zijn arm op. Hij vloog de lucht in. Zijn hand opende zich en de parelachtige bes verdween in het kreupelhout. Twijg landde met een doffe klap op de grond. Hij keek op. De gabberbeer torende dreigend hoog boven hem uit. Twijg begon te gillen. En terwijl hij schreeuwde, gleed de andere bes – de bes in zijn mond – naar achter en nestelde zich in zijn keel. Waar ze ook bleef.

Twijg kuchte en rochelde, maar de bes bewoog niet. Terwijl hij wanhopig naar adem snakte, werd zijn roze gelaat eerst rood en vervolgens paars. Hij wankelde overeind en staarde omhoog naar de gabberbeer. Alles begon te zweven voor zijn ogen. 'Kannie a'men!' gromde hij, en tastte naar zijn keel.

'Wuh!' schreeuwde de gabberbeer uit en greep Twijg bij de enkels.

Twijg voelde hoe hij ondersteboven de lucht in ging. De zware poot van de gabberbeer begon op zijn rug te kloppen. Opnieuw en opnieuw dreunde de poot neer, maar de bes bleef op zijn plaats. Opnieuw en opnieuw en...

pop!

De bes schoot naar buiten en stuiterde op de grond.

Twijg hijgde en snakte naar adem. Oncontroleerbaar hijgend kronkelde en wriemelde hij ondersteboven in de greep van de gabberbeer. 'Omlaag', uitte hij krassend. De gabberbeer nam Twijg in zijn vrije hand en legde hem zachtjes neer op een hoop droge bladeren. Hij hurkte neer en duwde zijn gezicht heel dichtbij.

'Wuh-wuh?' vroeg hij.

Twijg keek in het bezorgde gezicht van de gabberbeer. Zijn ogen waren wijder opengesperd dan ooit. Hij fronste vragend. Twijg glimlachte en sloeg zijn armen om de nek van de gabberbeer.

'Wuh!' zei deze.

De gabberbeer trok zich terug en keek Twijg in de ogen. Toen draaide hij zich om en wees naar de bes waarin Twijg bijna was gestikt. 'Wuh-wuh', zei hij boos, greep naar zijn maag en rolde op zijn rug alsof hij hevige pijn leed.

Twijg knikte ernstig. De bes was giftig.

'Niet lekker', zei hij.

'Wuh', antwoordde de gabberbeer, en sprong weer overeind. 'Wuh-wuh-wuh!' schreeuwde hij, en sprong op en neer, op en neer. En, terwijl hij de verwenste bes bleef bewerken met zijn vuisten en stompen, werd de vertrapte vegetatie verscheurd en stoven stofwolken aarde de lucht in. Tranen van plezier stroomden over Twijgs gezicht.

'Het is oké', zei hij. 'Ik beloof het.'

De gabberbeer kwam bij hem en klopte zachtjes op Twijgs hoofd. 'Wu... wu... Vr...uhuh. Vr-uh-nd', zei hij.

'Zeker weten', glimlachte Twijg. 'Vriend.' Hij wees opnieuw naar zichzelf. 'Twijg', zei hij. 'Zeg me na: Twijg.'

'T-wuh-g', herhaalde de gabberbeer en straalde van trots. 'T-wuh-g! T-wuh-g! T-wuh-g!' zei hij, steeds opnieuw, en bukte zich, nam de jongen op en zwaaide hem op zijn schouders. Samen strompelden ze de verduisterende bossen in.

Niet lang daarna begon Twijg zelf naar voedsel uit te kijken. Hij was er niet zo bedreven in als de gabberbeer, maar hij leerde snel en het Diepe Woud werd geleidelijk aan een minder angstaanjagende plek. Maar desondanks bleef het in de donkere, zwarte nacht een geruststelling de grote gabberbeer naast zich te voelen, en door zijn gesnurk in slaap te worden gewiegd.

Twijg dacht steeds minder aan zijn woudtrolfamilie. Hij was die niet helemaal vergeten, maar het leek wel alsof hij helemaal niet meer hoefde te denken. Eten, slapen, nog wat eten...

Maar nu en dan ontwaakte Twijg uit zijn Diepe Woud-
droom, eens toen hij in de verte een luchtschip op-
merkte, en een paar keer toen hij dacht de schutvogel
te zien in de gespikkelde takken van wiegeliedbomen.
Maar het leven ging verder. Ze aten en sliepen en jo-
delden naar de maan. En toen gebeurde het.

Het was een heldere herfstavond, en Twijg zat weer
eens op de schouders van zijn harige vriend. Ze waren
op zoek naar een geschikte slaapplaats toen Twijg plotseling, uit de hoek van zijn oog, een oranje flits op-
merkte.

Hij spiedde in het rond. Op enige afstand achter hen
was een klein, harig figuurtje, een soort oranje, donzig
balletje.

Iets verderop keek Twijg nog eens achterom. Nu waren
er vier donzige kleine wezentjes, huppelend als hamel-
hoornlammetjes.

'Kijk, hoe lief', zei hij.

'Wuh?' zei de gabberbeer.

'Achter ons', zei Twijg terwijl hij de gabberbeer op de
schouder tikte en achter zich wees.

Ze draaiden zich om. Nu waren er al een dozijn van die
vreemde beestjes, hen achterna stuiterend. Toen de
gabberbeer de wezens in de gaten kreeg, begonnen zijn
oren verwoed rondjes te draaien en uitte zijn muil een
zacht maar hoog gepiep.

'Wat zijn dat?' vroeg Twijg en gniffelde. 'Je gaat me
toch niet vertellen dat je bang bent van *hen*!'

De gabberbeer begon alleen maar luider te piepen, en
beefde over zijn hele lichaam, van het uiteinde van zijn

oren tot de toppen van zijn tenen. Twijg kon zich met moeite vasthouden.

'Tsjak-tsjak!' loeide de gabberbeer.

Terwijl Twijg toekeek, verdubbelde het aantal donzige, oranje wezentjes zich, en toen nog eens. Ze holden rond in de schemergloed, maar kwamen nooit dichterbij. De gabberbeer werd steeds meer opgewonden. Hij danste zenuwachtig van de ene poot op de andere, terwijl hij voortdurend bleef piepen.

Plotseling had hij er genoeg van. 'Wuh-wuh!' schreeuwde hij.

Twijg greep de lange manen van de gabberbeer en hield zich stevig vast toen die er met een helse vaart vandoor schoot. De gabberbeer denderde blindelings door het bos. *Bump, bump, bump.* Twijg probeerde uit alle macht niet van zijn rug te vallen. Hij keek achterom. Er kon geen twijfel bestaan over wat er gebeurde: de oranje bolletjes dons hadden de achtervolging ingezet.

Twijgs hart bonsde razendsnel. Afzonderlijk zagen de kleine wezentjes er best lief uit, maar als groep straalden ze iets vreemd bedreigends uit.

De gabberbeer liep almaar sneller. Hij denderde door

de bossen en drukte alles plat wat op zijn weg lag.
Steeds opnieuw moest Twijg wegduiken achter zijn
massieve kop om de op hem afstormende takken en
struiken te ontwijken. De tsjak-tsjaks volgden het pad
dat het grote beest voor hen uitsneed – en het duurde
niet lang of de eerste hadden hen ingehaald.

Twijg keek angstig omlaag. Vier of vijf van de wezentjes hadden het op de poten van de gabberbeer gemunt
telkens ze de grond raakten. Plotseling bleef een van de
beestjes hangen.

'Goeie hemel', hijgde Twijg verschrikt toen de donzige
bal in tweeën spleet en twee rijen scherpe tanden zoals

de pinnen op een berenklem tevoorschijn kwamen. Het volgende ogenblik sloegen de tanden met een klap dicht in de poot van de gabberbeer.

'Wuh-ooooo!' schreeuwde hij het uit van de pijn.

Terwijl Twijg zich wanhopig vastklampte, leunde de gabberbeer achterover, rukte de tsjak-tsjak los en slingerde hem weg. Het wilde kleine beest rolde over de grond, maar helaas alleen om te worden vervangen door vier andere.

'Verpletter ze! Vermorzel ze!' gilde Twijg.

Maar er was geen kruid tegen gewassen. Hoeveel tsjak-tsjaks de gabberbeer ook door de lucht zwierde, steeds opnieuw kwam er een dozijn of meer andere in hun plaats. Ze hingen aan zijn poten, aan zijn armen; ze kropen zijn rug op naar de nek van de gabberbeer, al-maar dichter bij Twijg!

'Help me!' gilde hij het uit.

De gabberbeer ging plotseling overeind staan en strompelde naar een hoge boom. Twijg voelde zijn gigantische poten rond zijn middel en het volgende ogenblik zat hij hoog in de boom, ver buiten het bereik van de bloeddorstige, ronde monstertjes.

'T-wuh-g', zei hij. 'Vr-uh-nd.'

'Klim ook de boom in', zei Twijg. Maar toen hij in de droevige ogen van de gabberbeer keek, besefte hij dat dit onmogelijk was.

De tsjak-tsjaks beten en hapten in de poten van de gabberbeer tot hij met een laag gekerm op de grond tuimelde. Onmiddellijk zaten de gemene kleine wezentjes overal op zijn lichaam.

Tranen vulden Twijgs ogen. Hij keek de andere kant op, niet in staat om het verscheurende tafereel gade te slaan. Hij drukte zijn handen hard tegen zijn oren, maar kon niet verhinderen dat de kreten van de vechtende gabberbeer binnendrongen.

Toen werd het stil in het Diepe Woud. Twijg wist dat het voorbij was.

'O, gabberbeer', snikte hij. 'Waarom? Waarom? Waarom?'

Hij wilde uit de boom springen, met getrokken mes, en elke tsjak-tsjak aan zijn wapen rijgen. Hij wilde de dood van zijn dierbare vriend wreken. Maar tegelijkertijd snapte hij dat hij helemaal niets kon doen.

Twijg veegde zijn tranen af en keek omlaag. De tsjaktsjaks waren ervandoor. En van de gabberbeer bleef niets meer over: geen beentje, geen tand of klauw, geen restje mossige vacht. Van heel ver weg weerklonk het troosteloze jodelen van een gabberbeer. Steeds opnieuw echode zijn hartverscheurende schreeuw tussen de bomen.

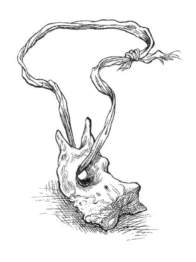

HOOFDSTUK NEGEN

DE ROTZUIGER

Twijg staarde in de schemerige schaduwen onder hem. Nergens viel een tsjak-tsjak te bespeuren. Ze hadden hun dodelijke aanval in totale stilte uitgevoerd, en tijdens de hele operatie gepiept noch gegild. Het enige waarneembare geluid was het vermalen van beenderen en het opslurpen van bloed. Nu waren de smerige kleine beestjes er stilletjes vandoor geglipt en verdwenen. Althans, Twijg *hoopte* dat ze verdwenen waren. Hij snoof nog eens, en veegde zijn neus aan zijn mouw af. Hij kon het zich niet veroorloven het bij het verkeerde eind te hebben.

Boven zijn hoofd werd de bruine hemel langzaam zwart. De maan kwam op, laag en helder. De stilte van het schemerdonker werd al verstoord door de eerste activiteit van nachtschepsels. En nu, terwijl Twijg roerloos op zijn tak bleef zitten en de duisternis in tuurde, werden deze nachtelijke geluiden steeds sterker. Ze krasten en huilden, ze schuifelden en piepten; onzichtbaar maar daarom niet minder waarneembaar. In het duister zie je met je oren.

Onder Twijgs slingerende benen stoomde de bosgrond van de activiteit. Een ragfijne mistsliert weefde zich rond de stammen van de bomen. Het leek wel alsof het Diepe Woud sidderde – van het gevaar, van het kwade. 'Ik blijf lekker hier', fluisterde Twijg in zichzelf terwijl hij rechtop ging staan. 'Tot morgenvroeg.'

Met zijn armen uitgestrekt om zijn evenwicht te bewaren, bewoog Twijg zich over de tak naar de stam van de boom. Daar aangekomen begon hij te klimmen. Hoger en hoger ging hij, speurend naar een takkenstructuur die zijn gewicht kon dragen en hem enig comfort zou bieden tijdens de lange nacht.

Naarmate de takken om hem heen dichter werden, begonnen Twijgs ogen te branden en te tranen. Hij plukte een blad en onderzocht het nauwkeurig. Het was rechthoekig en verspreidde een paarse gloed. 'O, gabberbeer', zuchtte hij. 'Van alle bomen die je kon kiezen, waarom moest je me in een wiegeliedboom plaatsen?'

Verder klimmen had geen zin. De bovenste bladeren van de wiegeliedbomen waren zoals iedereen wist bijzonder broos. Maar bovendien was het daar hoog boven vreselijk koud. Door bijtende wind kreeg hij kippenvel op zijn blote armen en benen. Twijg schoof naar de andere kant van de stam en begon weer te dalen.

Plotseling verdween de maan. Twijg wachtte even. De maan bleef verborgen en de wind trok aan zijn vingers. Langzaam, heel langzaam, geleid door contact met de ruwe bast aan zijn voeten, klom Twijg uit de boom.

Tsjak-tsjaks of geen tsjak-tsjaks, één misstap en hij stortte te pletter.

Met beide handen stevig om de tak boven zijn hoofd geklemd, zijn linkerbeen gebogen bij de knie en de voet ervan rustend in een stamholte, liet Twijg zich langzaam zakken. Druppels koud angstzweet parelden op zijn wenkbrauwen toen zijn rechtervoet in het duister tastte naar iets om op te staan.

Lager en lager strekte hij zich. Zijn armen deden pijn. Zijn linkerbeen leek elk moment uit zijn gewrichtsholte te worden gerukt. Twijg wilde net zijn inspanningen staken toen, plotseling, het uiterste puntje van zijn grote teen vond wat hij zocht: de volgende tak.

'Eindelijk', zuchtte Twijg opgelucht.

Hij ontspande zijn ellebogen, maakte de greep van zijn teen wat losser in de stamholte en slingerde omlaag tot beide voeten op de tak landden. Zijn tenen zakten diep in iets zachts en donzigs.

'Nee!' gilde hij, en trok zich verschrikt terug.

Op die tak zat iets. Een of ander dier. Misschien konden de tsjak-tsjaks toch in bomen klimmen.

Met zijn benen slingerend in de lucht probeerde Twijg uit alle macht zich op te trekken naar de veiligheid van de tak boven zijn hoofd. Maar het lukte niet. Hij was doodop. Hij ondernam nog een poging, maar zijn armen hadden te weinig kracht om hem hoog genoeg te tillen. Zijn handen begonnen hun greep te verliezen.

Plotseling barstte de heldere maan door het woudgewelf. Zilveren stralen priemden tussen de door de wind beroerde bladeren. Patronen als van een vlieger speelden op de stam, op het hangende lichaam van Twijg en op de bosgrond, diep, heel diep onder hem.

Twijg voelde zijn scherpe kin hard tegen zijn borst drukken toen hij zich inspande om te zien wat de zachte massa pal onder hem was. Zijn ogen bevestigden wat zijn voeten hem hadden verteld. Er zat iets – *twee ietsen* – op de ruwe stam. Ze hingen aan de tak zoals de harige poten van een groot beest dat omhoogklom om hem te pakken te krijgen.

Behoedzaam liet Twijg zijn benen zakken en porde met zijn tenen. De ietsen waren koud. En bewogen niet.

Twijg liet zich zakken tot op de stam en hurkte naast de dingen neer. Van dichtbij waren de twee voorwerpen helemaal niet harig. Ze deden eerder denken aan twee

ballen gaas die rond de tak waren gewikkeld. Twijg onderzocht de tak. Zijn lichaam tintelde van de opwinding. Daar, opgehangen aan een zijden touw, was een
cocon. Twijg had vroeger al cocons gezien. Klishaar
sliep in een cocon, en hij was erbij geweest in de wiegeliedboom toen de schutvogel uit het ei kwam. Maar
nooit had hij er een van zo dichtbij gezien. Het lange,
bengelende voorwerp was groter en duizendmaal
mooier dan hij zich ooit had voorgesteld.

'Wonderlijk', fluisterde hij.

Geweven uit de fijnste vezels draad, leek de cocon uit
suiker gesponnen. Hij was breed en bolvormig en bengelde als een gigantische woudpeer heen en weer in de
wind, glinsterend in het maanlicht.

Twijg reikte met zijn hand onder de tak en greep de zijden draad vast. Vervolgens, heel voorzichtig, gleed hij
over de rand en daalde af, hand over hand, tot hij
schrijlings op de cocon zat.

Zoiets had Twijg nog nooit gevoeld: fluweelzacht – ongelooflijk zacht – maar tegelijkertijd sterk genoeg om
zijn gewicht te dragen. En toen Twijg zijn vingers
plantte in het dikke, zijige vulsel, verspreidde zich
rondom hem een zoet en gekruid aroma.

Een plotselinge windvlaag bracht de cocon aan het
schommelen. Boven hem floten en kraakten de broze
blaadjes. Twijg snakte naar adem en hield het touw
krampachtig vast. Hij tuurde duizelig omlaag naar de
gespikkelde grond onder hem. Daar zat iets, luidruchtig graaiend in de dode bladeren. Hij kon niet omhoog
noch omlaag.

'Maar dat hoef ik ook niet', sprak Twijg tegen zichzelf. 'Ik kan de nacht doorbrengen in de cocon van de schutvogel.' En terwijl hij deze woorden uitte, tintelde zijn hele lichaam. Hij herinnerde zich de woorden van de schutvogel: *Klishaar slaapt in onze cocons en droomt onze dromen.* 'Misschien', fluisterde Twijg opgewonden, 'droom ik ook hun dromen.'

Vastbesloten draaide Twijg zich tot hij op de cocon uitkeek. Zijn neus duwde tegen het elastische dons. De zoete, kruidige geur werd sterker en, terwijl hij verder daalde, streelde de zijige cocon hem. Uiteindelijk bereikten zijn voeten de gewatteerde rand, waar de uitkomende schutvogel het weefsel van de cocon teruggerold had.

'Klaar?... start!' zei Twijg.

Hij liet het touw los en sprong naar binnen. Eventjes slingerde de cocon wild. Twijg sloot zijn ogen, doodsbang dat het touw zou knappen. De slingerbeweging stopte. Hij opende opnieuw zijn ogen.

Het was lekker warm in de cocon – warm en donker en geruststellend. Twijgs hart staakte zijn uitzinnige gebons. Met volle teugen snoof hij het aromatische parfum op, en een gevoel van welbehagen overviel hem. Hier kon niets hem deren.

Twijg krulde zichzelf in een balletje, knieën gebogen en een arm gevouwen onder zijn hoofd, en zonk in de gewatteerde zachtheid. Het was alsof hij werd ondergedompeld in warme, geurige olie. Hij voelde zich behaaglijk, hij voelde zich veilig en beschermd, hij voelde zich slaperig. Zijn vermoeide armen en benen werden zwaar. Langzaam vielen zijn oogleden dicht.

'O, gabberbeer', fluisterde hij slaperig. 'Van alle bomen die je kon kiezen, bedankt dat je me in een wiegeliedboom hebt gezet.'

En, terwijl de wind de prachtige cocon zachtjes heen en weer, heen en weer, heen en weer schommelde, gleed Twijg in een gelukzalige slaap.

Rond middernacht waren alle wolken verdwenen, weggevoerd door de winden, die zelf ook waren gaan liggen. De maan prijkte opnieuw laag in de hemel. Heel ver weg zeilde een luchtschip, alle zeilen gehesen om het flauwe briesje te vangen, door de maanverlichte nacht.

Het bladrijke oppervlak van het gewelf van het Diepe Woud glinsterde als water in de gloed van de maan. Plotseling vloog een schaduw voorbij: de schaduw van een vliegend wezen dat laag over de top van het woud gleed.

Het wezen had brede en krachtige, zwarte, leerachtige vleugels, achteraan geschulpt en met venijnige klauwen aan het eind. De lucht zelf leek te beven toen de vleugels, zwaar maar recht op hun doel af, fladderden door de indigo hemel. De kop van het wezen was klein, geschubd en waar de snavel zou moeten zitten voorzien van een lange, buisvormige snuit. Het slurpte en snuffelde, en blies met elke vleugelslag een bedorven geur de lucht in.

Nauwelijks penetreerde het licht van de ondergaande maan het woud, maar dat kon het schepsel niet deren. Rechtopstaande, koperkleurig-gele ogen verspreidden twee lichtstralen die de schaduwrijke dieptes afzochten. Het wezen vloog in rondjes, vooruit en achteruit. En het stopte pas met vliegen toen het had gevonden wat het zocht.

Plotseling bleven zijn lichtgevende ogen rusten op iets dat hing aan een tak van een grote, turkooizen wiegeliedboom; iets groots en ronds en glinsterends. Het schepsel slaakte een schrille kreet, vouwde zijn vleugels en dook omlaag door het woudgewelf. Het strekte zijn sterke, gedrongen poten uit, landde zwaar op de tak van de boom en hurkte neer. Het hield zijn kop scheef en luisterde aandachtig.

Het geluid van een zachte ademhaling zweefde het schepsel tegemoet. Het snoof de lucht op en zijn hele lichaam begon te schudden van opwinding. Het zette een stap voorwaarts. Toen nog een. En daarna nog een. Gemaakt om te vliegen, stapte het wezen langzaam, zich onhandig met één klauw vastgrijpend alvorens de andere los te laten. Het wandelde de massieve tak rond tot het helemaal ondersteboven hing.

De klauwen diep verzonken in de ruwe stam erboven, bevond de kop van het schepsel zich nu op gelijke hoogte met de ingang van de cocon. Het gluurde naar binnen en snuisterde rond met zijn lange, holle snuit. Het beefde opnieuw, deze keer heviger, en van diep in zijn lichaam steeg een gorgelend geluid op. Zijn maag stuiptrekte en een stroom gallige vloeistof spoot uit het uiteinde van zijn snuit. Toen trok het zich terug.

De geelgroene vloeistof siste waar ze landde en gaf kronkels stoom af. Twijg trok zijn neus op, maar ontwaakte niet. In zijn dromen lag hij in een grasland naast een bruisende, kristalheldere bron. Karmozijnrode papavers wiegden heen en weer, en vulden de lucht met een zo zoete geur dat hij er ademloos van werd.

Met zijn klauwen nog steeds stevig in de tak wijdde het schepsel nu zijn aandacht aan de cocon zelf. Vezel voor vezel trok het met zijn vleugelklauwen de gewatteerde klomp watten rond de opening uit elkaar. Het trok ze onhoorbaar over het gat. In minder dan geen tijd was de opening afgesloten.

Twijgs oogleden trilden. Hij bevond zich nu in een spelonkachtige hal, omzoomd met diamanten en smaragden die schitterden als een miljoen ogen.

Het schepsel fladderde met zijn vleugels en nam de tak in zijn vleugelklauwen. Het liet zijn voeten los en toen, hangend in de lucht, manoeuvreerde het zichzelf langs de tak tot zijn lichaam zich pal tegenover de top van de cocon bevond. Het spreidde zijn poten en begon luidruchtig lucht op te snuiven.

Tegelijkertijd zette zijn maag uit en stonden de schubben onderaan zijn onderbuik rechtop. Onder elke schub zat een rubberachtig, roze kanaal dat, terwijl het schepsel nog steeds lucht opzoog, langzaam openging. Plotseling gromde het schepsel en een hevige kramp schudde zijn hele lichaam door elkaar. Vanuit de kanaaltjes spoot een kleverige, zwarte substantie met krachtige stralen op de cocon.

'Mffll-bbnn', mompelde Twijg in zijn slaap. 'Mmmsh...'

De kleverige, teerachtige vloeistof drong naar binnen en sijpelde in alle richtingen over de cocon. Al snel zat de hele cocon onder het goedje.

Toen het stolde, werd de cocon een ondoordringbare gevangenis.

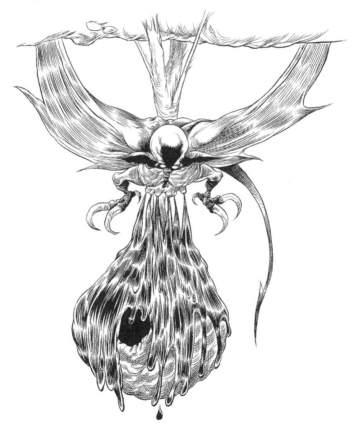

Met een schrille triomfkreet greep het creatuur de vervaardigde gondel in zijn met klauwen uitgeruste poten, sneed het zijige touw met een van zijn vleugelklauwen doormidden, en zweefde ervandoor in de nacht. Afgetekend tegen de paarse lucht sloegen de reusachtige vleugels van het schepsel op en neer; eronder slingerde de dodelijke gondel heen en weer, heen en weer.

Twijg zweefde op een vlot in het midden van een saffieren zee. Hij staarde wild om zich heen. Het was donker. Pikdonker. Hij lag daar, bewegingloos, niet in staat uit te puzzelen wat er aan de hand was. Zijn ogen weigerden te wennen aan de dansende duisternis. Er was geen licht. Geen straaltje. Een angstscheut suisde in zijn hoofd en schoot langs zijn ruggengraat.

'Wat gebeurt er?' gilde hij. 'Waar is de opening?'

Worstelend tot een gehurkte positie, betastte Twijg met trillende vingers het omhulsel. Het voelde hard aan. Het geluid van zijn boksende vuisten – *boem, boem, boem* – weergalmde.

'Laat me hieruit!' schreeuwde hij. 'LAAT ME ERUIT!'

De rotzuiger krijste en helde door de plotselinge beweging in de gondel over. Hij sloeg krachtig met zijn vleugels en verstrakte zijn greep op de matte, zwarte randen nog steviger. Een voor zijn vrijheid vechtende prooi was niets nieuws voor hem. Dat uitzinnige rukken en stompen zou snel ophouden. Zo ging het steeds.

Twijg begon te hijgen. Bijtend zweet stroomde in zijn ogen. De zure geur van gal kleefde als een tweede huid aan hem. Hij kokhalsde. De duisternis leek te tollen.

Hij opende zijn mond en een golf braaksel spoot eruit.
Het was fruitig, zuur, vol zaadjes en pitten. Het beeld
verscheen van de gabberbeer die hem iets overheerlijks
aanbood; de gabberbeer die was verscheurd door de
vreselijke tsjak-tsjaks. Twijg opende zijn mond opnieuw en zijn hele lichaam stuiptrekte. *Whooaarrsh!* Het
braaksel spatte tegen de geronde muren van Twijgs cel
en dreef aan zijn voeten.

De rotzuiger pakte de trillende cocon nog eens in zijn
klauwen. De veerachtige lichtheid van het ochtendgloren waaierde al uit over de verre horizon. Spoedig terug. Spoedig thuis, kleintje. Dan kun je je plaats inne-
men tussen de andere in mijn boomtopvoorraad.

Stikken. Braken. Tranende ogen in de zure duisternis.
Barstende hoofdpijn door het zuurstofgebrek. Twijg
trok zijn naamgevingsmes uit zijn riem en hield het stevig beet. Voorover leunend op zijn knieën begon hij
verwoed te hakken in het omhulsel. Het mes gleed
weg. Twijg rustte eventjes en veegde zijn bezwete
handpalmen aan zijn broek af.

Het mes had hem al heel wat goede diensten bewezen
– tegen de zweefworm, tegen de teerkruiper – maar
zou het stalen blad sterk genoeg zijn om deze schelp te
verbrijzelen? Hij dreunde de punt hard tegen het omhulsel. Het moest sterk genoeg zijn. Nog eens. En nog
eens. Het *moest* gewoon sterk genoeg zijn.

De rotzuiger besteedde totaal geen aandacht aan het
gebeuk en gebonk in de gondel, maar vloog onver-
stoorbaar verder naar zijn torenhoge opslagplaats. Hij
kon de andere cocons al zien, afgetekend tegen het

licht, hoog in de skeletachtige bomen. Worstel er maar op los, mijn super-pieren. Hoe meer strijd, hoe zoeter de soep, en de klank van het fluitende gegniffel van de rotzuiger echode door het duister. Spoedig ben je even stil als alle andere.

En toen dit gebeurde, zou de vreselijk stinkende gal die de rotzuiger in de cocon had gespoten, beginnen te werken. De gal zou het lichaam verteren, en het vlees en de beenderen herscheppen tot een slijmerige vloei-stof. Na een week, vijf dagen bij mooi weer, zou de rot-zuiger met het getande, ronde, harde been op het uit-einde van zijn snuit een gat boren in de top van de gon-del, de lange buis naar binnen brengen en de rijke, kwalijk riekende hutspot opzuigen.

'Breek, breek, breek', mompelde Twijg tussen zijn knarsende tanden en bleef met zijn naamgevingsmes op het omhulsel inhakken. En toen, net op het ogenblik dat hij er de brui aan wilde geven, weerklonk een lui-de krak in de gondel en brak het omhulsel eindelijk. Een stuk schelp zo groot als een bord vloog de duister-nis in.

'JA!' schreeuwde Twijg.

Lucht, frisse lucht stroomde het gat in. Hijgend van uit-putting stak Twijg zijn hoofd naar buiten en haalde diep adem. In, uit, in, uit. Zijn hoofd begon helder te worden.

De lucht smaakte heerlijk.

Hij smaakte naar leven.

Twijg tuurde in het duister. Een heel eind voor hem uit stond een rij dode, gekartelde pijnbomen zwart tegen

de achtergrond van roze lucht. In de top van een van
deze bomen hing een kluwen van eivormige voorwerpen aan een tak: het waren afgesloten cocons van de
schutvogel.

'Dit gat moet groter', sprak Twijg in zichzelf terwijl hij
het mes hoog boven zijn hoofd bracht. 'En vlug wat.'
Hij ramde het keihard tegen het omhulsel. Het kwam
met een vreemde plof neer. 'Wat verd...' Hij keek omlaag en gromde.

De slag die de keiharde schelp had gebroken, had ook
het blad van het mes vernield. Alleen het heft hield hij
nog in zijn handen. 'Mijn naamgevingsmes', zei Twijg,
vechtend tegen de tranen. 'Stuk.'

Hij gooide het nutteloze stuk hout weg, leunde tegen
de achterkant van de gondel en begon zo hard hij kon
tegen de wand te schoppen.

'Breek, de hemel verdoeme je', brulde hij. 'BREEK!'
De rotzuiger wiebelde in volle vlucht. Wat gebeurt er

daar, eh? Wel, wel, wat een vastbesloten super-pieren zijn jullie. Laat me je wat anders pakken. Ziezo. Dat is beter. We willen je toch niet laten vallen, is het niet? Twijg schopte harder dan ooit. In de gondel weerklonk de echo van versplinterende schelp en vallende brokstukken. Plotseling zigzagden twee brede scheuren over het omhulsel, hun randen verzacht door de warme morgengloed.

'Aaaii!' krijste Twijg. 'Ik val!'

De rotzuiger gilde woedend toen de gondel hevig begon te slingeren. Hij stortte tuimelend door de lucht naar omlaag. Hou jullie gemak, vervloekte pieren! Hij sloeg verwoed met zijn vermoeide vleugels en slaagde erin de neerwaartse spiraal te doorbreken. Maar iets was niet pluis. Dat besefte hij nu wel. Welk spelletje spelen jullie daar, mijn stoute, kleine super-pieren? Jullie moesten al lang dood zijn. Maar ik laat jullie niet zomaar gaan, als je dat maar weet.

Twijg schopte nog eens, en de barst scheurde verder over zijn hoofd en achter zijn rug. Nog een trap, en de grond onder zijn voeten spleet. Hij keek omlaag. Tussen zijn benen liep een getande streep licht. Het braaksel en de gal dropen weg.

Wat er nu ook gebeurde, de rotzuiger zou zeker honger lijden. De gondel viel uiteen. Zijn prooi zou nooit rotten.

Twijg staarde verschrikt naar de barst onder hem, terwijl de groene smeer breder werd. Hij staakte zijn geschop. Van deze hoogte vallen was gevaarlijk. Meer dan ooit had hij hulp nodig. 'Schutvogel!' gilde hij. 'Waar zit je?'

De rotzuiger piepte. Slechte super-pieren! Slecht! Hij was bijna aan het eind van zijn krachten, en zonk steeds lager in de hemel. Zijn koperachtig-gele ogen draaiden rond op zoek naar de opslagplaats in de boomtop. Zo dichtbij en toch zo veraf.

Onder hem werd de groene vlek bruin. Twijg keek aandachtiger toe. Het bos was uitgedund, en deels dood. Lange, bleke geraamtes van bomen stonden her en der verspreid over de glinsterende bodem. Sommige stonden nog overeind, hun dode takken reikten omhoog, grijpend naar de lucht als benige vingers.

Plotseling weergalmde er een verschrikkelijke dreun. De gondel had de top van een van deze dode takken geraakt. Twijg werd achteruit geslingerd. Zijn hoofd smakte tegen de schelp. De scheur werd breder, en de gondel, met Twijg er nog steeds in, duikelde omlaag. Dieper en dieper, steeds dieper. Twijgs maag kwam in

opstand. Zijn hart zat in zijn mond. Hij sloot zijn ogen, haalde diep adem en zette zich schrap voor de inslag.

SQUELLLP!

Hij was geland in iets zachts, iets dat, zelfs nu nog, als korrelige, vloeibare chocolade binnensijpelde tussen de barsten in de schelp. Hij dipte zijn vinger in de bruine substantie en bracht hem aarzelend naar zijn neus. Het was modder. Dikke, turfachtige modder. Hij was midden in een moerasland terechtgekomen.

Onhandig waggelend reikte Twijg omhoog, liet zijn vingers glijden tussen de breedste barsten, en trok. De modder stond al tot aan zijn enkels. Eerst gebeurde er niets. Zelfs nu nog waren de met teer doortrokken coconvezels ongelooflijk sterk. De modder bereikte Twijgs knieën.

'Kom *op!*' zei hij.

Met in elkaar gehaakte ellebogen wrikte hij de scheur iets verder open. De aderen op zijn slapen waren gezwollen, zijn spieren lagen in een knoop. Ineens stroomde er licht binnen. De schelp was uiteindelijk in tweeën gespleten.

'O, nee', riep hij uit toen het zwaarste deel van de gebroken gondel onmiddellijk op zijn zij ging liggen en in de modder zonk. 'Wat nu?'

Hij moest al zijn hoop vestigen op het kleinere deel, dat nog steeds op het oppervlak dreef. Als hij erin slaagde erop te klimmen, kon hij het misschien gebruiken als een geïmproviseerde boot.

Hoog in de lucht boven hem hoorde hij een schrille kreet van blinde woede. Hij keek op. Daar, cirkelend

boven zijn hoofd, zag hij een afgrijselijk en gruwelijk
wezen. Het keek hem aan door spiedende, zwart-gele
ogen. Brede, zwarte, leerachtige vleugels, glinsterend
van het zweet, klapperden lawaaierig in de lucht. Plotseling draaide het zich en dook, en het volgende ogenblik voelde Twijg scherpe klauwen die over zijn haren
schampten en enkele plukjes bij de wortels uitrukten.
Het schepsel beschreef een cirkel en schoot nog eens
neer. Rubberachtige draden groen speeksel stroomden
uit het uiteinde van zijn lange snuit. Maar deze keer
wist Twijg weg te duiken. Terwijl het over zijn hoofd
scheerde, krijste het opnieuw en besproeide hem met
een douche van de stinkende gal. ·

Snakkend naar adem hoorde Twijg het klap-klap van de vleugels. Het gedrocht vloog weg. Toen hij durfde op te kijken, zat het schepsel op de top van een verre dode boom, zwart tegen de mistige ochtendhemel. Onder het schepsel hing een tros gondels, elk vol rottende materie. Twijg zuchtte opgelucht. Het schepsel had het opgegeven. Hij zou de andere niet volgen in die dodenrij.

Een ogenblik later sloeg zijn opluchting om in paniek. 'Ik ben aan het zinken!' schreeuwde hij uit.

Krampachtig de schelp vastgrijpend probeerde Twijg wanhopig zichzelf uit de poel te tillen. Maar telkens hij zich afzette, kantelde de schelp om en vloeide er nog meer modder in. Bij de derde poging zonk ze volledig weg.

Hij stond nu tot aan zijn buik in de modder, die onophoudelijk bleef stijgen. Hij zwaaide wanhopig met zijn armen en spartelde met zijn benen, maar de dikke modder zoog hem steeds dieper omlaag.

'O, Schemergluiperd!' jankte Twijg. 'Wat moet ik doen?'

'Niet in paniek raken, dat is het belangrijkste', hoorde hij een stem.

Twijg snakte naar adem. Daar zat iemand, rustig toekijkend hoe hij vocht voor zijn leven. 'Help!' krijste hij. 'HELP ME!'

Hij draaide zich zo goed hij kon om, maar door die beweging zakte hij opnieuw enkele centimeters. De modder was al tot zijn borst gestegen en kroop nu langzaam omhoog naar zijn nek.

Een korte, benige kobold met een plat hoofd en een gele huid zat tegen een dode boom geleund, kauwend op een strohalmpje.

'Wil *jij* hulp van *mij*?' vroeg hij, met zangerige, nasale stem.

'Ja. Ja, dat wil ik. Je moet me helpen', smeekte hij, en proestte toen de modder zijn mond in en zijn keel door sijpelde.

De kobold glimlachte verwaand en gooide zijn strohalmpje weg.

'Dan zal ik dat doen, Meester Twijg', zei hij. 'Zolang je
er zeker van bent.'

Hij reikte omhoog, knapte een tak van de boom en stak
hem uit over de verraderlijke poel. Twijg spuwde de
vieze modder uit en sprong ernaar. Hij greep de tak
vast en klampte zich er uit alle macht aan vast.

De kobold trok. Twijg werd door de dikke, zuigende modder getrokken, steeds dichter bij de oever. Hij proestte. Hij bad dat de tak niet zou breken. Plotseling voelde hij vaste grond onder zijn knieën, en daarna onder zijn ellebogen. De kobold liet de tak vallen en Twijg kroop op handen en voeten uit het moeras.

Eindelijk vrij, stortte Twijg in elkaar. Daar lag hij, uitgeput, het gezicht in de stoffige aarde. Hij dankte zijn leven aan een kobold. Maar toen hij ten slotte zijn hoofd optilde, merkte hij dat hij opnieuw alleen was. De plathoofd viel nergens te bespeuren.

'Hey', riep Twijg zwakjes. 'Waar ben je?'

Geen antwoord. Hij ging staan en keek rond. De kobold was weg. Het enige wat aan hem herinnerde, was het op de grond gegooide halmpje stro waarop hij had gekauwd. Twijg hurkte neer naast het halmpje.

'Waarom ben je ervandoor gegaan?' mompelde hij.

Hij ging zitten in het stof, zijn hoofd tussen zijn knieën. Plotseling trof hem een andere vraag. Hoe kende de plathoofd-kobold zijn naam?

HOOFDSTUK TIEN

DE KIJVENDE GROTFEEKSEN

Het was stil. De zon brandde, heet en schitterend. Door al het braaksel in de afgesloten gondel voelde Twijgs keel aan alsof die werd gepolijst. Hij moest iets drinken.

Hij krabbelde overeind en keek achterom naar zijn schaduw, die zich ver over het verraderlijke moeras uitstrekte. Aan het eind ervan zag hij water. Het fonkelde verleidelijk. Was er maar een manier om er te komen zonder door de modder te worden opgezogen. Twijg spuwde en keek opnieuw de andere kant op.

'Waarschijnlijk is het toch stilstaand water', mompelde hij. Hij stampte door de sponzige woestenij. Eens strekte het moerasland zich helemaal tot hier uit. Nu groeide er niets meer, behalve hier en daar een vlek bleekgroene algen.

En toch was er ook hier leven. Bij elke stap die Twijg zette, vlogen wolken wreedaardige woudmuggen op en zoemden om hem heen. Ze landden op zijn gezicht, zijn armen, zijn benen – en waar ze landden, beten ze ook.

'Ga weg! Laat me met rust!' riep Twijg, naar de bloeddorstige insecten meppend. 'Als het niet de ene is,
dan... AUW!' Klap. '... is het een andere!' Klap. Klap.
Twijg zette het op een hollen. De woudmuggen vlogen
hem achterna, als satijnen lakens fladderend in de
wind. Sneller. Sneller. Langs de benige skeletten van
dode bomen. Halsoverkop over het hobbelige veen.
Struikelend, uitglijdend, maar
nooit stilstaand. Uit het verlaten oord van de boosaardi-
ge rotzuiger en terug het
Diepe Woud in.

Twijg kon ze al ruiken
voordat hij ze bereikte.
De leemachtige bodem,
het weelderige gebla-
derte, het sappige fruit
– vertrouwde geuren
die hem het water in
de mond brachten
en zijn hart sneller
dan ooit deden
kloppen.

De woudmuggen
waren heel wat
minder onder de
indruk. Naarma-
te de rijke en
vruchtbare geuren
sterker werden,

dropen de muggen af. Ze lieten hun prooi in de steek en keerden terug naar hun woestijn, waar de lucht scherp en zuur was.

Twijg sjokte verder en hoger. Het Diepe Woud wikkelde zich rond hem als een onmetelijk uitgestrekte groene deken. Er waren geen sporen, geen paden; hij moest zich een weg slaan door het weelderige kreupelhout. Door woudvarens en stiervarens trok hij, heuvels op en hellingen af. Toen hij bij een wilgdruppelboom kwam, hield hij halt.

De wilgdruppel, met zijn lange, wuivende, parelachtige bladeren, groeide alleen maar in de omgeving van water. Dat had hij van de gabberbeer geleerd. Twijg duwde de stekelige gordijnen van de hangende takken opzij, en daar, kabbelend over een kiezelbed, was een stroom kristalhelder water.

'De hemel zij dank', schraapte Twijg en viel op zijn knieën. Hij vormde een kommetje met zijn handen en

doopte die in het ijskoude water. Hij nipte, slikte en voelde de koude vloeistof zijn lichaam in vloeien. Hij dronk meer, en nog meer. Hij dronk tot zijn maag vol was en zijn dorst gelest. Daarna, met een dankbare zucht, liet hij zich met een plons in het water vallen.

En daar lag hij dan. Het water stroomde over hem, verzachtte de beten van de woudmuggen, en zuiverde zijn kleren en haren. Hij bleef er liggen tot elk restje modder en braaksel en stinkende gal van hem was afgespoeld.

'Eindelijk weer schoon', zei hij en ging op zijn knieën zitten.

Plotseling schoot een oranje flits over het water! Twijg verstarde. Tsjak-tsjaks waren oranje! Met gebogen hoofd opende hij zijn ogen en tuurde angstig door zijn sprietige en druipende haar.

Achter een rots neergehurkt aan de overzijde van de stroom zat niet een tsjak-tsjak, maar een meisje. Een meisje met een bleke, bijna doorschijnende huid en een dikke bos oranje haar. Gezelschap.

'Hey!' riep Twijg uit. 'Ik...' Maar het meisje schoot ervandoor en was nergens meer te bespeuren. Twijg sprong overeind. 'OY!' gilde hij terwijl hij door de stroom waadde. Waarom wachtte ze niet? Hij sprong op de oever. Iets verderop zag hij dat het meisje zich achter een boom verstopte. 'Ik doe je geen kwaad', hijgde hij in zichzelf. 'Ik ben aardig. Echt waar!'

Maar toen hij de boom had bereikt, was het meisje er alweer vandoor. Hij zag dat ze achteromkeek voor ze in een open plek met wuivend edelgras gleed. Twijg holde haar achterna. Hij wilde haar tegenhouden, met haar praten. Hij liep en hij liep. Rond bomen, over open plekken – steeds dichtbij, maar niet dicht genoeg.

Toen ze achter een brede en met klimop begroeide boom spurtte, keek ze voor de derde keer achterom. Twijg voelde de haren op zijn nek te berge rijzen; ook het haar van zijn hamelhoornhuidvest stond overeind. Wat als het meisje helemaal niet achteromkeek om te zien of ze aan hem was ontsnapt? Wat als ze zeker wilde weten dat hij haar nog steeds volgde?

Hij bleef haar achtervolgen, maar was nu meer op zijn hoede. Hij schuifelde om een boom heen. Het meisje was nergens te zien. Zijn hart bonsde, zijn schedel tintelde. In dit dichte gebladerte kon van alles zitten, wachtend om hem aan te vallen – echt van alles.

Hij betastte zijn amuletten. Hij zette nog een stap voorwaarts. Waar *was* het meisje? Of was dit weer eens een vreselijke valstrik...?

'Waaaaiii!' gilde Twijg.

De grond had zich geopend en Twijg viel. Hij tuimelde in de aarde, en door een lange, zich krommende tunnel. Boem, boem, hobbeldebobbel, crash, bang en *plaf*, daar lag hij in een dik strobed.

Versuft keek Twijg op. Alles draaide voor zijn ogen. Gele lichten, kronkelende wortels – en vier gezichten staarden hem aan.

'Waar ben je geweest?' zeiden twee stemmen. 'Je weet dat ik niet graag heb dat je bovengronds gaat. Te gevaarlijk. Op een dag zul je ontvoerd worden door de Schemergluiperd, kleine meid, en dat is een feit.'

'Ik kan best op mezelf passen', antwoordden de andere twee nukkig.

Twijg schudde zijn hoofd. De vier gezichten halveer-
den zich tot twee.

Het grootste kwam dichterbij, een en al bloeddoorlopen ogen en gerimpelde lippen.

'En wat is dit?' klaagde het. 'O, Mag, wat heb je *nu*
meegebracht?'

Het meisje met de bleke huid streelde Twijgs haar. 'Het
volgde me, Mamsie', zei ze. 'Mag ik het houden?'

De oudere vrouw trok haar hoofd terug en kruiste haar
armen, en haalde diep adem, waarbij ze helemaal op-
zwol. Ze staarde Twijg wantrouwig aan. 'Ik vermoed

dat hij geen *prater* is', zei ze. 'Ik heb het je al gezegd: dieren die kunnen praten komen er niet in.'

Twijg slikte gespannen.

Mag schudde haar hoofd. 'Ik denk het niet. Misschien nu en dan een geluidje, maar geen woorden.'

Mamsie knorde. 'Vertel me maar liever de waarheid. Praters betekenen problemen.'

Mamsie was ontzagwekkend, met deinende onderarmen en een nek die zo breed was als haar hoofd. Wat meer was, in tegenstelling tot het meisje, wier bleke huid haar bijna onzichtbaar maakte in de ondergrondse gloed, was Mamsie maar al te zichtbaar. Over bijna haar hele lichaam, behalve haar hoofd, was de blote huid bedekt met regenboogkleurige tatoeages.

Het waren bomen, wapens, symbolen, dieren, gezichten, draken, schedels en noem maar op. Zelfs op haar kale schedel prijkte een tatoeage. Wat Twijg eerst hield voor op de schedel geplakte haarkrullen, bleken bij nader inzien in feite kronkelende slangen.

Ze reikte omhoog en krabde bedachtzaam onder haar enorme neus, intussen nonchalant haar biceps spannend. De mouw van haar met een patroon versierde jurk bolde ruisend op – en Twijg merkte dat hij staarde naar het beeld van een jong meisje met vurig oranje haar. Eronder, in indigo letters, las hij: MAMSIE HOUDT VAN MAG.

'Wel?' zei Mag.

Haar moeder snoof. 'Mag,' zei ze, 'soms kun je toch zo'n zeurpiet zijn. Maar... vooruit dan maar.' Onmiddellijk voegde ze eraan toe, Mags kreetjes van blijdschap onderbrekend: 'MAAR... *jij* bent verantwoordelijk. Heb je dat goed begrepen? *Jij* geeft het eten, *jij* gaat ermee wandelen, en als het de grot bevuilt, zorg *jij* ervoor dat alles weer schoon is. Ben ik helder genoeg?'

'Kristalhelder, Mamsie', zei Mag.

'En als ik ook maar één woord hoor', ging ze verder, 'wring ik zijn schriele kleine nek om. Goed?'

Mag knikte. Ze reikte naar voren en greep Twijg bij zijn haar. 'Kom mee', zei ze.

'Yow!' gilde Twijg en gaf een klap op haar hand.

'Het sloeg me', jankte Mag dadelijk. 'Mamsie, mijn troeteldier heeft me geslagen – het deed me *pijn*!'

Plotseling voelde Twijg dat hij van de grond werd getild en rondjes beschreef in de lucht. Hij staarde doodsbang in de woedende, bloedbelopen ogen van de grotfeeks. 'Als je mijn kleine manestraal nog één keer duwt, slaat, schramt of bijt, zal ik...'

'Of op een andere manier mijn lichaam pijn doet', bemoeide Mag zich ermee.

'Of op een andere manier haar lichaam pijn doet, zal ik...'

'*Of* mijn gevoelens kwetst.'

'... haar lichaam pijn doet of haar gevoelens kwetst, zal ik...'

'Of probeert weg te lopen...'

'Of probeert weg te lopen', herhaalde Mamsie. 'Dan ben je dood!'

Haar papieren jurk ritselde toen ze hem door elkaar schudde. 'Gehoorzaam en stom, dat is de regel. Oké?'

Twijg wist niet of hij moest knikken of niet. Als hij niet

mocht praten, mocht hij dan wel begrijpen wat werd gezegd? Hoe dan ook, Mamsie had hem zo stevig in haar greep dat hij toch nauwelijks kon bewegen. Ze snoof en liet hem op de grond vallen.

Twijg keek behoedzaam op. Mag stond achter haar moeder, haar handen keurig voor haar schoot gevouwen. Haar gezicht droeg een uitdrukking van onmogelijke zelfvoldaanheid. Ze leunde voorover en rukte een tweede maal aan zijn haar. Twijg kromp ineen van de pijn, en liet zich overeind trekken.

'Dat lijkt er al meer op', gromde Mamsie. 'Hoe ga je het noemen?' vroeg ze.

Mag haalde haar schouders op en richtte zich tot haar nieuwe troeteldiertje. 'Heb jij een naam?' zei ze.

'Twijg', antwoordde hij zonder nadenken – en betreurde het onmiddellijk.

'Wat is dat?' bulderde Mamsie. 'Was dat een woord?' Ze stootte Twijg hard in zijn borst. 'Ben jij dan toch een prater?'

'TwijgTwijgTwijgTwijg', zei hij, wanhopig proberend het als een niet-woord te laten klinken. 'TwijgTwijg-Twijg!'

Mag sloeg haar arm om Twijgs schouder en glimlachte naar haar moeder. 'Ik denk dat ik hem Twijg noem.'

Mamsie gluurde naar Twijg door tot smalle spleetjes vernauwde ogen. 'Een woord, niet meer', grauwde ze, 'en ik snij je hoofd eraf.'

'Twijg zal heel braaf zijn', stelde Mag haar moeder gerust. 'Kom mee, jongen', zei ze tegen hem. 'We gaan spelen.'

Mamsie keek met haar handen in de zij toe hoe Mag hem met zich mee trok. Twijg hield zijn hoofd omlaag. 'Ik hou hem in de gaten', hoorde hij haar zeggen. 'Wees daar maar zeker van.'

Naarmate ze verder de tunnel in liepen, stierven de dreigementen van Mamsie weg. Er waren trappen en glooiingen en lange, smalle hellingen die hen dieper, steeds dieper de grond in brachten. Twijg voelde zich weinig op zijn gemak bij de gedachte aan het gewicht van al die aarde en rotsen boven hem. Wat als het instortte? Wat als hij erdoor werd opgeslokt?

Plotseling stopte de benauwende gang. Twijg staarde in het rond, trillend van verbazing. Met zijn beidjes stonden ze in een immense ondergrondse spelonk.

Mag liet eindelijk zijn haar los. 'Je zult het hier best leuk vinden met ons, grotfeeksen, Twijg,' zei ze. 'Het is er nooit te heet en nooit te koud. Er is geen regen, geen sneeuw, geen wind. Er zijn geen gevaarlijke planten en geen wilde beesten...'

Twijgs vingers kropen automatisch naar de tand om zijn nek, en een traan bengelde over zijn wang.

Geen gevaarlijke planten en geen wilde beesten, dacht hij. Maar geen hemel, geen maan... Het meisje stootte hem ruw in zijn rug, en Twijg stapte naar binnen. En geen vrijheid.

Net als de tunnels baadde ook de spelonk in een bleek licht. De grond onder zijn voeten was platgetreden door generaties feeksvoeten. Het plafond torende hoog boven zijn hoofd uit. De grond en het plafond waren met elkaar verbonden door dikke, knoestige wortels, als knobbelige zuilen. Het lijkt wel een spiegelbeeld van het Diepe Woud zelf, dacht hij bij zichzelf. Maar dan het winterse Diepe Woud, wanneer alle bomen hun bladeren verloren hebben en kaal zijn.

Ondergedompeld in de gloed van de spelonk waren de wortels dor en gekronkeld en... Twijg snakte naar adem. Hij had zich vergist. Het licht scheen niet *op* de bomen, maar *van* de bomen.

'Twijg!' blafte Mag streng, toen hij de wortels van dichterbij wilde bestuderen.

Wit, geel, paddestoelbruin; minstens de helft van de lange, dikke wortels verspreidde een zacht trillend schijnsel. Twijg raakte een ervan aan. Het was warm en klopte zachtjes.

'Twijg!' krijste Mag. 'zit!'

Twijg keek achterom. Mag staarde hem dreigend aan. Gehoorzaam en stom, herinnerde Twijg zich. Hij tippelde terug en ging naast haar staan.

Mag klopte zachtjes op zijn hoofd. 'Geboeid door die wortels, hé?' zei ze. 'Ze geven ons alles wat we nodig hebben.'

Twijg knikte maar zei niets.

'Licht, uiteraard', ging Mag verder, wijzend naar de oplichtende wortels. 'Voedsel', en ze brak twee knolletjes af van enkele vezelige wortels. Een ervan stopte ze in haar mond. De andere schonk ze Twijg, die er weinig enthousiast naar staarde. 'Eet!' drong Mag aan. 'Kom op!'

En toen Twijg bleef weigeren ervan te proeven, zei ze liefjes: 'Dan vertel ik het aan Mamsie.'

De knol was knapperig en sappig. Hij smaakte naar geroosterde noten. 'Mmm-mmm', mompelde Twijg en likte theatraal zijn lippen.

Mag glimlachte en ging verder. 'Deze drogen en malen we om er bloem van te maken', legde ze uit. 'Deze verpulveren we en maken er papier van. Deze branden goed. En dit...', begon ze, toen ze bij een bolvormige, vleeskleurige wortel kwam. 'Vreemd', zei ze fronsend. 'Ik wist niet dat deze in het wild groeiden.' Ze keek Twijg aan en liet haar blik van top tot teen over hem glijden. 'Twijg,' zei ze streng, 'eet nooit, *nooit* van deze wortelsoort.'

Iets verderop bereikten ze een plaats waar bijna alle verticale wortels waren afgesneden om een open plek te vormen rond een diep meer met donker water. De wortels die laag bij de grond bleven uitwaaieren, vormden een slingerende koepel. Ertussen lag een verzameling gigantische hutten, elk gescheiden van, maar tegelijk verbonden met zijn buur. Rond, vaalgeel en met kleine, donkere, cirkelvormige ingangen, vormden de hutten een berg van wel vijf verdiepingen hoog.

'De feeksraten zijn onze woningen', zei Mag. 'Volg me.' Twijg glimlachte in zichzelf. Mag had hem niet bij zijn haar gegrepen, ze begon hem te vertrouwen.

De hutten, zo ontdekte Twijg, waren gemaakt van een dikke, papierachtige substantie, zoals Mamsies jurk, maar dikker. De materie kraakte onder zijn voeten toen hij de verbindingspaden op strompelde, en echode hol toen hij klopte op de ronde muren.

'Laat dat!' zei Mag scherp. 'Het stoort de buren.'

Mags hut bevond zich bovenaan links op de heuvel en was heel wat groter dan ze aan de buitenzijde leek. Het licht van de wortels gloeide zacht door de muren. Twijg snoof. Een vleugje kaneel hing in de lucht.

'Je zult wel moe zijn', kondigde Mag aan. 'Daar is jouw plaatsje', zei ze wijzend naar een mand. 'Mamsie wil niet dat mijn troetels op mijn bed slapen.' Ze grinnikte ondeugend. 'Maar ik wel! Kom, spring er maar op', zei ze, terwijl ze op het uiteinde van het bed klopte. 'Ik ga het haar niet verklappen als je het niet doet', zei ze en barstte in lachen uit.

Twijg deed wat hem was gevraagd. Ook al was het verboden, de dikke papieren matras voelde zacht en warm aan. Twijg viel onmiddellijk in een diepe en droomloze slaap.

Enkele uren later – in de constante gloed van de feekshuizen was er geen onderscheid tussen dag en nacht – ontwaakte Twijg door de gewaarwording van klopjes op zijn hoofd. Hij opende zijn ogen.

'Lekker geslapen?' vroeg Mag stralend.

Twijg gromde.

'Goed,' zei ze terwijl ze uit het bed sprong, 'want we hebben heel wat te doen. We gaan knollen plukken en wortelmelk tappen voor het ontbijt. Daarna, zodra we alles hebben opgeruimd, wil Mamsie dat we haar helpen papier te maken. Omdat heel wat meisjes onlangs feeks geworden zijn, is er een tekort aan materiaal voor de jurken.

'En daarna, als je braaf bent,' ging Mag verder zonder ook maar één keer adem te halen, 'gaan we een wandelingetje maken. Maar eerst en vooral,' zei ze, spelend met zijn haar en zijn wang zacht met haar vingers strelend, 'eerst en vooral, lieve Twijg, ga ik je mooi maken.' Twijg gromde en keek beroerd toe hoe Mag in een kleine kast rommelde. Een ogenblik later was ze al terug, met een schaal vol stukjes en beetjes. 'Ziezo', zei ze terwijl ze de schaal op de grond plaatste. 'Kom nu maar hier voor me zitten.'

Met tegenzin deed Twijg wat hem was gevraagd.

Mag nam een zachte, grijze klomp wortelvezels, waste hem met het water dat ze uit het meer had geschept en parfumeerde hem met rooswortel. Daarna klopte ze hem droog en dompelde hem onder in een donker, geurig poeder.

Toen Twijg niesde, veegde Mag zijn druipneus voor hem droog met een zakdoekje.

Wat een vernedering! dacht Twijg, toen hij zijn hoofd boos wegdraaide.

'Wel, wel!' berispte Mag hem. 'We willen toch niet dat Mamsie hoort hoe stout je bent, is het niet?'

Twijg hield zich stil, en bleef de hele tijd roerloos zitten terwijl Mag een houten kam nam en de klitten uit zijn matte haar begon te kammen.

'Je hebt mooi haar, Twijg', zei ze. 'Dik en zwart...' Ze trok hard aan een weerbarstige knoop. 'Maar heel erg geklit! Waarom, lieve aarde, liet je het in deze toestand komen?' Ze trok nog eens.

Twijg kromp ineen van de pijn. Zijn ogen traanden, en hij beet tot bloedens toe op zijn onderlip. Maar hij maakte geen enkel geluid.

'*Ik* borstel mijn haar tweemaal per dag', zei Mag en gooide met een ruk van haar hoofd haar schitterende oranje manen in haar nek. Ze ging dichter bij Twijg zitten. 'Spoedig', fluisterde ze, 'valt het uit. Elk afzonderlijk haartje. En dan word ook ik een feeks. Net als Mamsie.'

Twijg knikte meevoelend.

'Ik kan nauwelijks wachten!' riep Mag tot zijn verrassing uit. 'Een feeks. Kun je je dat voorstellen, mijn lieve Twijg?' Ze legde de kam neer. 'Nee', zei ze, 'natuurlijk kun je dat niet. Maar dat komt omdat jij een mannetje bent. En mannetjes...'

Ze pauzeerde om een klein flesje te ontkurken en schonk een scheut dikke, gele vloeistof in haar handpalm. Het was zacht, maar scherp, en toen ze het door zijn haren wreef, tintelde zijn schedel en begonnen zijn ogen te prikken.

'... kunnen geen feeksen zijn.' Ze stopte nog eens. Toen koos ze een klein bosje haar uit de rest, spleet het in drie dunne lokken en begon het te vlechten. 'Mamsie zegt dat het komt door de wortel. De Moeder Bloedeik', zei ze eerbiedig.

Twijg rilde toen hij de bloeddorstige, vleeshongerige boom hoorde noemen, waaraan hij maar op het nippertje had weten te ontsnappen. Hij streelde dankbaar zijn hamelhoornhuidvest.

'Het is die roze wortel die we op weg hierheen hebben gezien, Twijg', ging ze verder terwijl ze parels reeg aan de vlecht. 'Weet je nog? De wortel die ik je verbood te eten. Hij is giftig voor mannen, snap je? Dodelijk giftig', zei ze fluisterend. 'Maar niet voor vrouwen', voegde ze eraan toe.

Twijg hoorde haar gegniffel toen ze een tweede bosje haar scheidde.

'Het sap van de wortel maakt Mamsie en alle anderen zo groot en sterk. "Wanneer de Moeder Bloedeik rood bloedt, moeten alle feeksen worden gevoed" luidt het gezegde.'

Twijg rilde. 'Wanneer de Moeder Bloedeik rood bloedt...' Daar wist hij alles van. Zijn maag kwam in opstand terwijl Mag zijn haren bleef vlechten en met kralen versieren.

'O, je begint er al heel knap uit te zien, Twijg', zei ze. Twijg trok een grimas. 'Natuurlijk', ging ze bedachtzaam verder, 'zint deze situatie de grotmannen niet. Vreselijke, schriele, achterbakse, slappe, gluiperige individuen zijn het', zei ze terwijl ze haar neus vol afschuw optrok. Ze zuchtte. 'Maar soms zijn ze ook nuttig. Want *iemand* moet toch koken en schoonmaken!'

De hemel zij dank dat ik maar een troeteldier ben, dacht Twijg.

'Eens probeerden ze het hele systeem te saboteren', ging ze verder. 'Ik was toen nog niet geboren. Blijkbaar kwamen alle mannen samen en probeerden ze de Moeder Bloedeik te verbranden. De feeksen waren furieus en sloegen hen bont en blauw, dat is zeker. Sindsdien hebben ze niets meer durven ondernemen!' voegde ze eraan toe, en lachte onaangenaam. 'Nutteloos troepje misbaksels!'

Twijg voelde dat nog drie parels op hun plaats werden geregen.

'Hoe dan ook,' zei Mag opnieuw rustiger, 'tegenwoordig worden de hoofdwortels goed bewaakt...' Haar stem dreef weg.

'Klaar!' kondigde ze aan. 'Draai je nu eens om en laat me naar je kijken.'

Twijg gehoorzaamde.

'Perfect!' zei ze in haar nopjes. 'Kom op, Twijg-liefje. Laten we gaan en het ontbijt klaarmaken.'

*

De tijd gleed, zoals altijd, voorbij hoewel het in de nietveranderende feeksengrot moeilijk te schatten viel hoeveel tijd er voorbijgleed. In elk geval leek Mag eindeloos de nagels aan zijn tenen en vingers te knippen. En de laatste keer dat ze zijn haar borstelde, zei ze meer dan eens dat het een flink stuk was gegroeid.

In de watten gelegd en vertroeteld door Mag en de andere grotvrouwtjes, was Twijgs leven tussen de feeksen best aangenaam. Desondanks vond hij het onderaardse leven verstikkend. Hij miste de frisse lucht en de bijtende wind. Hij miste de zonsopgang en zonsondergang. Hij miste de geur van regen, het geluid van vogelgezang, de kleur van de hemel. En het meest van al miste hij de gabberbeer.

Eigenaardig genoeg schonk dit leven onder de grond – *onder* het Diepe Woud, met zijn gevaren en verschrikkingen – Twijg nu alle tijd om na te denken. Toen hij met de gabberbeer optrok, hoefde hij helemaal niet na te denken. Steeds opnieuw moesten ze op zoek naar eten; steeds opnieuw moesten ze een veilige slaapplaats weten te vinden. Nu alles voor het grijpen lag, had Twijg niets te doen *behalve* na te denken.

Toen hij pas was aangekomen, verloor Mag Twijg maar zelden uit het oog. Maar de laatste tijd was de nieuwigheid van het bezitten van een nieuw troeteldiertje eraf. Mag had hem een halsband aangepast en bond hem aan haar bed vast telkens ze uitging zonder hem. Het was een lang touw en Twijg kon overal gaan en staan in de hut waar hij wilde, hij kon zelfs halverwege de trap zitten. Maar telkens hij het einde van het touw had bereikt en de halsband zich rond zijn nek sloot, werd Twijg eraan herinnerd dat hij een gevangene was, en zijn hart verlangde ernaar terug te keren naar het Diepe Woud boven hem.

Misschien zou hij uiteindelijk het pad vinden om naar zijn familie terug te keren. Spelda zou in de zevende hemel zijn als haar jongen terugkwam uit het Diepe

Woud. Misschien zou zelfs Tuntum glimlachen, hem een klap op zijn rug geven en hem uitnodigen voor een tochtje bomen vellen. Alles zou anders zijn. Deze keer zou hij zich aanpassen, harder zijn best doen, doen wat woudtrollen geacht worden te doen, denken zoals woudtrollen denken, en hij zou nooit, *nooit* van het pad afdwalen.

De halsband schuurde zijn nek. Maar, dacht hij, zou hij niet net zo goed een gevangene zijn als hij terugging? Als hij eindeloos moest proberen een woudtrol te zijn maar er nooit echt bij hoorde?

Hij dacht aan de schutvogel. Wat *was* er met hem gebeurd? 'Is dit zijn idee van waken over mij?' dacht

Twijg grimmig. *Jouw lot ligt voorbij het Diepe Woud*, had hij hem verteld. Twijg knorde. 'Voorbij!' zei hij. 'Eronder, zeker, nu mijn lot er blijkbaar uit bestaat vertroeteld te worden door een verwende dwingeland. O, Schemergluiperd!' vloekte hij.

Buiten de cabine weerklonk een ruisend geluid. Twijg bevroor. Ik moet ophouden in mezelf te praten, dacht hij. Vandaag of morgen verraad ik me.

Het volgende ogenblik stormde Mag de hut binnen. Over haar arm lag een opgevouwen stuk bruin papier. 'Ik heb de opdracht gekregen me voor te bereiden', kondigde ze opgewonden aan.

Ze spreidde het papier uit over de grond en begon te tekenen. Twijg knikte naar het papier en keek haar vragend aan.

Mag glimlachte. 'Weldra, Twijg-liefje,' zei ze, 'draag ik deze tatoeage op mijn rug.' Twijg keek met meer belangstelling naar de tekening. Ze stelde een massieve gespierde feeks voor: benen uit elkaar, handen op de heupen, en met een woeste gelaatsexpressie. 'Net als alle andere', verklaarde ze.

Twijg glimlachte flauw. Hij wees naar de tekening, toen naar Mag zelf en vervolgens opnieuw naar de tekening.

'Ja', zei Mag. 'Dat ben ik. Of zal ik zijn.'

Twijg wees naar zichzelf en hield zijn hoofd schuin.

'O, Twijg', fluisterde ze lief. 'Ik zal *altijd* van je houden.'

Twijg ging weer zitten, gerustgesteld. Maar precies op dat ogenblik weerklonk buiten het geluid van dreunende voetstappen. Twijgs gevoel van welbehagen

smolt als sneeuw onder een tropische zon en hij begon
op de punt van zijn sjaal te kauwen. Het was Mamsie.
'Mag?' gierde ze. 'MAG!'

Mag keek op. 'Ik ben hier', riep ze terug, en dadelijk
werd de ingang ingenomen door de imposante gedaante van Mamsie in hoogsteigen persoon.

'Jij gaat met me mee', beval ze Mag. 'Nu.'

'Is het tijd?' vroeg Mag gretig.

'Het is tijd', luidde het norse antwoord.

Mag sprong het bed af. 'Hoorde je dat, Twijg? Het is
tijd! Kom maar!'

'Je hebt geen troeteldier nodig waar je naartoe gaat', zei
Mamsie.

'O, Mamsie, asjebliiiieft!' zeurde Mag.

'Ik zeg je dat je het daar niet zult willen. Niet erna.'

'Toch wel!' zei Mag opstandig.

Twijg keek van de een naar de ander. Mamsie keek cha-
grijnig. Mag glimlachte lief.

'Jij *wilt* toch graag meekomen, is het niet?' vroeg ze.

Twijg beantwoordde haar glimlach. Alles was beter
dan aan het bed gekluisterd te zijn. Hij knikte heftig
met zijn hoofd.

'Zie je wel', zei Mag triomfantelijk. 'Ik heb het je gezegd.'

Mamsie snoof verachtelijk. 'Je schrijft dat beest veel te
veel verstand toe...'

'Asjeblieft, Mamsie. Asjeblieft!' pleitte Mag.

'O, als je erop staat', gaf Mamsie toe, terwijl ze het papier opraapte. 'Maar hij moet aan de leiband blijven!'
Ze draaide om Twijg heen en fixeerde hem met haar

bloeddoorlopen ogen. 'En wee je gebeente als je iets – WAT DAN OOK – doet dat dat mijn Mags grote dag bederft!'

Buiten hing een sfeer van verwachting. De paden rond het meer wemelden van kijvende grotfeeksen die alle in dezelfde richting gingen. Sommige ervan herkende Twijg als de buren. Andere waren volslagen vreemdelingen in zijn ogen. 'Kijk van hoe ver ze gekomen zijn', klapte Mag verrukt in haar handen.

Aan de overzijde van het meer bereikten ze een hoge afrastering die een uitgestrekt rond stuk land afbakende. Groepjes magere, slome mannen lummelden rond bij de bewaakte ingang. Ze schrokken terug en jammerden toen Mamsie zich een weg baande door de mannen.

'Blijf in de buurt, Twijg', snauwde Mag, en rukte aan de halsband.

Samen betraden ze alledrie het omheinde gebied. Toen ze verschenen, hief de binnenin samengetroepte massa een instemmend gebulder aan. Mag liet haar hoofd hangen en glimlachte verlegen.

Twijg kon nauwelijks geloven wat hij zag. Van hoog boven zijn hoofd strekte zich een enorme set wortels neerwaarts uit die laag bij de grond uitwaaierden om een immense en torenhoge koepel te vormen. Rondom stonden hand in hand de kijvende grotfeeksen, hun getatoeëerde huid badend in het vlezige, roze licht van de wortels.

Mamsie nam Twijgs hand beet. 'Kom', zei ze.

'Halt!' zei een van de bewakers. 'Dat wezen mag het Innerlijk Sanctuarium niet in.'

Mamsie merkte de nog steeds om Mags hand gewik-
kelde halsband op. 'Natuurlijk niet', zei ze. Ze griste de
halsband los en maakte hem stevig vast aan een wortel.
'Je kunt het later komen halen', zei ze, en grinnikte
hees.

Deze keer protesteerde Mag helemaal niet. Ze leek wel
in een trance toen ze de cirkel van handen betrad en de
koepel van wortels binnenstapte. Ze keek niet één keer
achterom.

Twijg tuurde door de gaten tussen de wortels. Helemaal in het midden zat de penwortel. Dik en knobbe-
lig, gloeide hij heviger dan de rest. Mag – zijn kleine
Mag – stond er met haar rug naar toegekeerd. Haar
ogen waren gesloten. Plotseling begonnen de hellevegen te zingen.

'O! Ma-Ma Moeder Bloedeik!
O! Ma-Ma Moeder Bloedeik!'

Steeds opnieuw, steeds luider, schreeuwden ze deze
woorden, tot de hele spelonk trilde van het oorverdovende lawaai. Mag, nog steeds met haar rug naar de
penwortel, was begonnen te wriemelen en kronkelen.
Plotseling, totaal onverwacht, verstomde de kakofonie.
De stilte beefde onzeker. Twijg keek toe hoe Mag zich
omdraaide om de wortel te zien. Ze keek omhoog.

'BLOED VOOR ME!' gilde ze uit.

Nog voor haar stem weggestorven was, kwam er een
plotselinge verandering over de koepel. De grotfeeksen hijgden. Twijg sprong angstig achteruit toen de

wortel waar hij aan vastgemaakt was ineens van kleur veranderde. Hij keek om zich heen. Het hele uitgebreide netwerk van wortels verspreidde een diepe en bloedige, karmozijnrode gloed.

'Ja!' schreeuwde Mamsie, 'de tijd is inderdaad aangebroken voor onze dochter, Mag.'

Ze haalde een klein object uit de vouwen van haar papieren jurk. Twijg kneep zijn ogen tot spleetjes om te zien wat het was. Het leek wel de tap van een vat. Ze plaatste het ding tegen de rode centrale wortel en hamerde het er met haar vuisten in. Toen glimlachte ze naar Mag en wees naar de grond.

Mag knielde voor de tap, stak haar hand op en sperde haar mond wijd open. Mamsie draaide aan het tapkraantje en onmiddellijk gutste er een stroom schuimende, rode vloeistof uit. Ze spatte over haar heen en stroomde langs haar nek, haar armen, haar benen. Twijg zag Mags schouders stijgen en dalen in het karmozijnrode licht.

'Ze drinkt ervan!' huiverde hij.

Mag dronk en dronk en dronk. Ze dronk zoveel dat Twijg vreesde dat ze ging ontploffen. Uiteindelijk slaakte ze een diepe zucht en liet haar kin op haar borst rusten. Mamsie schakelde de stroom vloeistof uit. Mag kwam wankelend overeind. Twijg snakte naar adem. Het magere meisje met de doorschijnende huid begon te zwellen.

Opwaarts en buitenwaarts, haar hele lichaam werd in alle richtingen groter. De flinterdunne jurk die ze droeg scheurde en viel op de grond – en nog steeds groeide ze. Massieve schouders, opbollende spieren, benen als boomstammen... En haar hoofd! Het was al kolossaal toen, plots, de haren – die wilde, dikke, oranje bos – zich als een waterval neerwaarts stortten. De transformatie was voltooid.

'Welkom!' zei Mamsie, terwijl ze de pas geverfde jurk wikkelde om de nieuwste feeks in de grot.

'Welkom!' schreeuwde de cirkel zustergrotfeeksen.

Mag draaide zich langzaam om als blijk van erkentelijkheid. Twijg deinsde verschrikt achteruit. Waar was het bleke, magere meisje dat hij zo bemind had en dat hem zo liefdevol verzorgd had? Spoorloos. Haar plaats was ingenomen door een angstaanjagende en afschuwelijke, kijvende grotfeeks. Zodra ze haar tatoeages had, zou ze het evenbeeld van Mamsie, haar moeder, zijn.

Mag bleef rondkijken. Ze ving zijn angstige blik op. Ze glimlachte. Twijg glimlachte terug. Misschien was ze toch niet veranderd – wel, vanbinnen althans. Een dikke, kwijlende tong, als een plak lever, verscheen uit Mags mond en likte over haar gerimpelde lippen. Haar bloedbelopen ogen glansden.

'JIJ SMERIG STUK ONGEDIERTE!' bulkte ze plotseling.

Twijg keek verschrikt over zijn schouder. Ze had het toch niet tegen hem? Hij, haar troeteldiertje? Hij, haar Twijg-lief? 'Mag!' schreeuwde hij uit. 'Mag! Ik ben het!'

'Aaaargh!' gilde Mamsie. 'Ik *wist* dat het een prater was!'

'Ja', zei Mag ijskoud. 'Maar niet lang meer.'

Twijg voelde de aarde trillen toen de twee hellevegen

op hem af denderden. Met bevende vingers trok hij aan de knoop. Tevergeefs. Mamsie had de knoop veel, veel te strak gespannen. Twijg greep het touw beet, plaatste zijn twee voeten tegen de wortel en duwde zo hard hij kon. Niets.

'Denk maar niet dat je wegkomt!' brulde Mag.

Twijg veranderde zijn greep en probeerde het nog eens. Hij hoorde een krak, en vloog achterover de lucht in. Het touw had gehouden – maar de wortel had het begeven. Een schuimende, rode substantie druppelde uit de plek waar hij losgekomen was.

'Whooooaaahhh!' raasde Mag.

Twijg draaide zich om en snelde ervandoor. Hij schoot tussen twee bewakers en spurtte naar het meer. De grotmannen gaapten het schouwspel aan.

'Opzij!' gilde Twijg, terwijl hij ze met zijn ellebogen uit de weg veegde. Achter hem hoorde hij Mag, op de voet gevolgd door de overi-ge feeksen. 'Trek zijn strot eruit!' krijsten ze hys-terisch. 'Ruk zijn benen uit. Sla hem in gru-zelementen!' Twijg bereikte het meer. Hij ijlde de lin-kerkant op.

Een half dozijn grotmannen stond voor hem.
'STOP!' beval Mag luid. 'VANG DAT KLEINE BEEST!'
En daarna, nog harder, toen de mannetjes een stap op-
zij zetten om de aanstormende Twijg door te laten: 'EL-
LENDIGE PATHETISCHE SUKKELS!'

Twijg keek achterom. Mag haalde hem in. In haar
bloeddoorlopen ogen stond een verschrikkelijke vast-
beradenheid te lezen. O, Mag, dacht hij. Wat is er van
jou geworden?

Mag kwam op gelijke hoogte met de grotmannen. Ze
keken haar achterdochtig aan. Behalve één. Toen Mag
voorbijstormde, stak hij zijn been uit. En raakte Mags

voet. Ze strompelde. Ze struikelde. Ze verloor haar evenwicht en dreunde op de grond.

Twijg was stomverbaasd. Dit was geen ongeluk geweest.

Mag draaide zich en probeerde het grotmannetje te grijpen, maar dat was te vlug voor haar. Hij sprong overeind, dook buiten haar bereik en keek op. Hij vormde een kommetje met zijn handen, en riep naar Twijg.

'Waar wacht je op? Loop naar de wortels die het felst schijnen. Die kant op.' Er klonk een vleiende, spottende toon in zijn stem.

Twijg keek rond.

'Wel?' schonk de grotman hem een verwrongen glimlach. 'Wil je levend gevild worden door je kleine meesteres? Volg de wind, in de watten gelegd troeteldiertje – en kijk niet achterom.'

HOOFDSTUK ELF

GARBEL, SNATERTROLLEN EN HARTTOVENAARS

Twijg deed precies wat hem verteld was. Hij doorkruiste halsoverkop de feeksengrot en liep naar een afgelegen punt waar de lichten van de wortels het felst schenen, en niet één keer keek hij achterom. Hij hoorde de woedende feeksen achter hem, hijgend, stampend; soms haalden ze hem in, soms bleven ze achterop.

Naarmate hij dichter bij de felle vlek kwam, merkte hij dat het een dicht opeengepakte tros gloeiende witte wortels was. Welke kant moest hij nu op? Zijn schedel tintelde, zijn hart bonsde. Voor hem lag een half dozijn tunnels. Welke zou hem naar buiten brengen?

'Hij is verloren!' hoorde hij een van de feeksen brullen.

'Snij hem de pas af!' beval een andere.

'En snij hem daarna zijn hoofd af!' bulderde een derde feeks, en ze krijsten het gemeen lachend uit.

Twijg was wanhopig. Wilde hij ontsnappen, dan moest hij in een van de tunnels duiken, maar wat als de tunnel die hij koos, doodliep? En terwijl hij probeerde te beslissen welke tunnel te nemen, daverden de feeksen steeds dichterbij. Straks zaten ze op hem. En dan was het te laat.

Twijg huiverde van angst en uitputting. Toen hij langs de ingang van een van de tunnels schoot, bezorgde een koude bries hem kippenvel. Natuurlijk! *Volg de wind*: dat waren de woorden van het grotmannetje. Zonder dralen schoot Twijg de winderige tunnel in.

De opening, die heel breed begon, werd al snel smaller en lager. Maar dat kon Twijg niet deren. Hoe meer hij zich moest bukken, hoe kleiner de kans dat de gigantische feeksen hem zouden kunnen volgen. Hij hoorde ze, grommend en brommend en hun tegenslag vervloekend. Plotseling beschreef de tunnel een scherpe bocht en liep dood.

'O, wat nu?' kreunde Twijg. Dit was *echt* een doodlopend straatje. Hij huiverde bij de aanblik van een hoop gebleekte beenderen die half bedekt waren door zand en schalie. Daar lag een schedel, en de met kralen versierde resten van gevlochten haar; rond de wegschrompelende nek zat een halsband. Dit troeteldier had niet kunnen ontsnappen.

Pal voor hem strekte een enkele wortel zich in de tunnel uit. Twijg stak zijn hand uit. Hij voelde even dood aan als al het overige: koud, stijf en gloedloos. Waar kwam het licht dan vandaan? Hij staarde omhoog en daar, ver ver boven zijn hoofd, merkte hij een kleine cirkel van zilveren schittering.

'Hij heeft een van de luchtschachten ontdekt', klonk de woedende stem van een van de feeksen.

Twijg klauterde omhoog langs de vertakkingen van de wortel. 'Gelijk heb je', mompelde hij.

Hand over voet en voet over hand klom hij naar het licht. Met pijnlijke armen en trillende vingers keek hij opnieuw omhoog. Hij leek geen millimeter dichter bij het licht gekomen. Een vlaag van paniek schoot door zijn lichaam. Wat als het gat boven hem helemaal niet groot genoeg was om erdoor te klimmen?

Voet over hand en hand over voet, hoger en hoger ging hij, luid en regelmatig ademend. Ooh! Aah. Ooh! Aah! Eindelijk leek de lichtcirkel groter te worden. De laatste stukken wortel beklom hij zo snel hij durfde – de beenderen op de bodem van de schacht lagen verschrikkelijk diep onder hem – en strekte zijn arm uit in het warme zonlicht.

'De hemel zij geloofd, het is dag', zuchtte hij. Hij tilde zichzelf uit de schacht en rolde en tolde in het gras. 'Anders zou ik de uitgang nooit gevonden he...' Twijg stopte. Hij was niet alleen. Een hijgen en grommen, de sappige geur van verval deden de lucht trillen. Langzaam richtte hij zijn hoofd op.

Slap uit de bek hangende tongen en wijd uit elkaar staande zwarte neusgaten. Ontblote, glinsterende, kwijlende tanden als ijskegels. Koele, gele ogen – die hem taxeerden.

'W... w... woudwolven', stamelde hij.

De kraag sneeuwwitte vacht rond hun nek richtte zich op bij het geluid van zijn stem. Twijg slikte. Het waren *witboord* woudwolven: de gevaarlijkste soort – en er keek hem een hele troep likkebaardend aan. Twijg schuifelde centimeter voor centimeter achteruit naar de luchtschacht. Te laat. De woudwolven, die de beweging merkten, lieten een bloedstollend gegrom horen. Met open klauwen en druipende snijtanden sprong de wolf het dichtst in zijn buurt op, naar zijn keel.

'Aaaargh!' schreeuwde Twijg. De uitgestrekte poten van het beest ploften tegen zijn borst. Allebei tuimelden ze achterover en landden met een harde klap op de grond.

Twijg kneep zijn ogen stijf dicht. Hij rook de warme, rotte adem op zijn gezicht toen de woudwolf snoof en

proefde. De woudwolf had hem in zijn bek. Eén beweging – van Twijg of de wolf – en dat was dat.

Precies op dat ogenblik, boven het oorverdovende bon-
zen van zijn hart uit, hoorde Twijg een stem. 'Wat gebeurt er daar, hè?' sprak de stem. 'Wat hebben jullie gevonden, kerels? Iets lekkers voor in de pot?'

De woudwolven grauwden gretig, en Twijg voelde de
tanden scherp in zijn huid drukken.

'Laten vallen!' beval de stem. 'Stiekem! Laten vallen,
zeg ik je!'

De tanden lieten hun prooi los. De stank trok weg.
Twijg opende zijn ogen. Daar stond een klein, elfachtig
schepsel met een zware zweep in zijn handen hem aan
te staren. 'Vriend of voedsel?' vroeg hij.

'V... v... vriend', stotterde Twijg.

'Sta op, vriend', sprak hij. De woudwolven reageerden
zenuwachtig toen hij overeind klauterde. 'Ze zullen je
geen pijn doen', stelde hij Twijg gerust, toen hij de angstige blik in diens ogen las. 'Zolang ik hun niet zeg je
pijn te doen', lachte hij aanstellerig.

'Maar dat zou je toch niet doen', zei Twijg. 'Nee
toch...?'

'Hangt ervan af', luidde het antwoord. De woudwolven begonnen heen en weer te schuifelen, hun lippen
likkend en opgewonden huilend.

'Wij, kleine mensen, moeten steeds op onze hoede zijn.
Vreemd is gevaarlijk, dat is mijn motto. In het Diepe
Woud kun je nooit te voorzichtig zijn.' Hij liet zijn blik
over Twijg dwalen. 'Maar jij ziet er niet echt gevaarlijk
uit, moet ik toegeven.' Hij veegde zijn hand krachtig af

aan zijn broek en stak hem uit. 'De naam is Garbel', zei hij. 'Garbel de Jager, en dit is mijn troep.' Een van de woudwolven gromde. Garbel gaf hem een venijnige tik.

Twijg schudde de uitgestoken hand. De wolven rondom hen zweepten zichzelf op tot een kwijlende staat van razernij. Garbel brak hun handdruk abrupt af, trok zijn hand terug en bestudeerde die.

'Bloed', zei hij. 'Geen wonder dat mijn kerels je op het spoor kwamen. De geur van bloed maakt hen dol, als je dat maar weet.' Hij hurkte neer en veegde voorzichtig zijn hand af aan het gras tot alle bloed verdwenen was. Hij keek op. 'Vertel me eens, wat ben jij eigenlijk?' vroeg hij.

'Ik ben...', begon Twijg en stopte toen. Hij was geen woudtrol. Maar wat was hij dan wel? 'Ik ben Twijg', zei hij eenvoudigweg.

'Een Twijg? Nooit van gehoord. Je lijkt wat op een hangoor of zelfs een klungelkop. Zelfs *ik* kan die twee moeilijk uit elkaar houden. Maar ze leveren een aardige duit op, die twee. De luchtpiraten zijn altijd tuk op kobolds afkomstig van wildere stammen. Het zijn goede vechters ook al zijn ze nogal moeilijk te controleren... Zijn de Twijgs goede vechters?'

Twijg schoof ongemakkelijk van de ene voet op de andere. 'Niet echt', zei hij.

Garbel snoof. 'Aan jou zou ik toch niet veel verdiend hebben', zei hij. 'Een zielig klein specimen, dat ben je. Maar misschien kun je dienen als scheepskok. Kun je koken?'

'Niet echt', antwoordde Twijg opnieuw. Hij bestudeerde zijn hand. Er zat een snijwond op zijn pink, maar het zag er niet erg uit.

'Gewoon toeval', zei Garbel. 'Ik was een grote bultschedel op het spoor – zou me een flinke stuiver opgebracht hebben – en wat gebeurt er? Die stommerd loopt recht in de kaken van een bloedeik en gedaan is het. Vreselijke knoeiboel. Dan pikken de jongens jouw

geur op. Nauwelijks de moeite waard', voegde hij eraan toe en spuwde op de grond.

Op dat ogenblik merkte Twijg wat Garbel de Jager
droeg. De donkere vacht was onmiskenbaar. Hoe vaak
had hij zelf niet precies dezelfde vacht gestreeld? Glanzend, zacht en lichtjes groen gekleurd.

'Gabberbeer', fluisterde Twijg, en zijn bloed begon te
koken. Die afschuwelijke kleine elf droeg de vacht van
een gabberbeer. Garbel was kleiner dan Twijg, een heel
stuk kleiner zelfs. In een gevecht van man tot man kon
Twijg de jager moeiteloos de baas, daar was hij van
overtuigd. Maar toen de cirkel gele ogen hem zonder te
knipperen aanstaarde, moest Twijg zijn verontwaardi-
ging inslikken.

'Wel, ik kan hier niet de hele dag staan kletsen', ging
Garbel verder. 'Ik moet nog heel wat jagen vandaag.
Geen tijd te verliezen aan een wolvenprooi zoals jij. En
ik zou die hand eens laten nakijken, als ik jou was. De
volgende keer heb je misschien minder geluk. Kom
mee, jongens.'

En omringd door de huilende troep wolven draaide
Garbel zich om en verdween tussen de bomen.

Twijg zonk op zijn knieën. Hij was terug in het Diepe
Woud, maar deze keer kon hij niet rekenen op de bescherming van de gabberbeer. Geen lieve, eenzame
gabberbeer, alleen wolven en jagers en bultschedels en
langoren en...

'Waarom?' jankte hij. 'Waarom dit allemaal? WAAROM?'

'Daarom', hoorde hij een stem – een stem die lief en
aardig klonk.

Twijg keek op en staarde met afschuw. Het schepsel dat
had gesproken zag er allerminst lief of aardig uit.

'Wel, wat brengt je... SLURP... naar dit deel van het...
SLURP... Diepe Woud?'

Twijg slikte nerveus. Hij richtte zijn hoofd op.

'Dat is beter... SLURP... Nu, waarom vertel je me niet alles, liefje. Snatertrollen zijn erg goede... SLURP... luiste-
raars', en ze flapte met haar reusachtige, vleermuisachtige oren.

Het gele schijnsel van de late middag scheen dwars
door het roze membraan van haar oren, en verlichtte
het delicate netwerk van bloedvaatjes. Het glinsterde
op haar vettige gezicht en glom op de oogstengels.
Vooral deze stengels – lang, dik, rubberachtig, slingerend; nu eens samentrekkend, dan weer zich verlen-
gend, en beide op het uiteinde voorzien van bolvormige, groene kogels – verbijsterden Twijg. Ondanks het
misselijke gevoel in zijn maag kon hij er zijn ogen niet
van afhouden.

'Wel?' zei de snatertrol.

'Ik...' begon Twijg.

'SLURP!'

Twijg huiverde. Telkens de lange, gele tong naar buiten glipte om een van de twee niet-knipperende ogen te bevochtigen of te likken, vergat hij wat hij wilde zeggen. De stengelogen strekten zich naar hem uit. De oogballen staarden tegelijkertijd naar beide zijden van zijn gelaat. 'Wat jij nodig hebt, mijn liefje', sprak de snatertrol uiteindelijk, 'is een lekkere kop... SLURP... eikappelthee. Terwijl we wachten.'

Terwijl ze zij aan zij stapten in het wegstervende oranje licht, praatte de snatertrol honderduit. En praatte en praatte en praatte. En terwijl ze bleef ratelen, met zachte bijna fluisterende stem, lette Twijg niet meer op haar oren of ogen of zelfs die lange, slurpende tong. 'Ik heb me nooit ergens echt kunnen inpassen, snap je', legde ze uit.

Twijg snapte het maar al te goed.

'Natuurlijk, snatertrollen verschaffen al generaties lang fruit en groenten', ging ze verder. 'Gewassen telen en verkopen op de talrijke marktplaatsen. En toch weet ik...' Ze pauzeerde. 'Ik zei tegen mezelf, Gabba, zei ik, je bent niet geschikt om je hele leven te schoffelen en hakken. En dat is een feit.'

Ze betraden een open plek die baadde in de dieprode gloed van de ondergaande zon. Het licht glinsterde op iets ronds en metaalachtigs. Twijg tuurde in de schaduwen. Een kleine woonwagen stond onder de hangende, geveerde bladeren van een wilgdruppelboom.

De snatertrol waggelde erheen. Twijg keek toe hoe ze een lantaarn loshaakte en hem aan een slingerende tak bevestigde.

'Wat licht op de zaak laten schijnen', gniffelde ze en trok de woonwagen uit zijn schuilplaats.

Twijg sloeg het schouwspel gade. Eventjes leek de woonwagen te verdwijnen. Hij schudde zijn hoofd. Daar was hij weer.

'Slim, hè?' zei de snatertrol. 'Ik ben een eeuwigheid zoet geweest met het mengen van de verven.'

Twijg knikte. Van de wielen onder het houten geraamte tot de over hoepels gespannen dierenhuid voor een waterdicht dekzeil was elke centimeter van de woonwagen geschilderd in verschillende tinten groen en bruin. De woonwagen was perfect gecamoufleerd voor het bos. Twijgs ogen concentreerden zich op iets wat op de zijkant stond geschreven: vreemde, krullende letters die eruitzagen als gekronkelde bladeren.

'Ja, dat ben ik', zei de snatertrol, haar oogballen likkend. '"Snatermora Snatertrol. Apothekeres en Wijze."
Nu, laten we eens zorgen voor die thee, goed?'

Ze haastte zich de houten trap op en verdween in de woonwagen. Twijg keek van buitenaf toe hoe ze een pot op het vuur zette en wat oranje vlokken in een pot lepelde.

'Ik zou je graag binnen uitnodigen...', zei ze toen ze opkeek. 'Maar, wel...' Ze wees met haar hand op de warboel in de woonwagen.

Er stonden afgesloten kruiken en flessen gevuld met een amberkleurige vloeistof en ingewanden van kleine dieren, er stonden kisten en kratten propvol zaden en bladeren, en overvolle zakken met noten. Er waren pincetten en scalpels, en brokken kristal, en een weegschaal, en bundels papier en rollen schors. Kruiden en droogbloemen hingen in tuiltjes aan haken, naast strengen gedroogde slakken en een keuze aan dode dieren: woudratten, eikwoelmuizen, puistsnuiters, zachtjes schommelend terwijl de snatertrol zich om de thee bekommerde.

Twijg wachtte geduldig. De maan kwam op, en verdween prompt achter een zwarte wolkenbank. Het lantaarnlicht gloeide feller dan ooit. Naast een stomp houtblok merkte Twijg dat in de modder een hartje getekend was. Een stok lag eroverheen.

'Hier zijn we dan, liefje', zei de snatertrol toen ze uit de woonwagen kwam, een stomende mok in elke hand en een schaaltje onder haar arm. Ze plaatste alles op het houtblok. 'Neem gerust een zaadbeschuitje', zei ze. 'Ik haal enkele ruggensteuntjes.'

Ze haakte nog twee houtblokken los van de onderkant van de wagen. Zoals al de rest waren ze zo goed gecamoufleerd dat ze Twijg niet waren opgevallen. Ze plofte neer.

'Maar genoeg over mij', zei ze. 'Ik zou eindeloos kunnen vertellen over mijn leven in het Diepe Woud, hoe ik van hot naar her reis, steeds onderweg ben, mijn drankjes en kompressen bereid en help waar ik maar kan... Hoe smaakt de thee?'

Twijg nipte aan de thee en bereidde zich voor op het ergste. 'Hij is... heerlijk', zei hij tot zijn grote verrassing.

'Eikappelschil', zei ze. 'Goed voor de nagels, goed voor het hart, en uitstekend voor...' Ze kuchte en haar ogen schoten in en uit haar stengels. 'Om je *normaal* te houden, als je snapt wat ik bedoel. En met een beetje honing – zoals deze – is het een onverslaanbaar middeltje tegen duizeligheid.' Ze leunde voorover naar Twijg en verlaagde haar stem. 'Ik wil niet pochen, hoor, verre van dat,' zei ze, 'maar ik weet veel meer dan de meesten over de dingen die leven en groeien in het woud.' Twijg zei niets. Hij dacht aan de gabberbeer.

'Ik begrijp hun *eigenschappen*', voegde ze eraan toe en zuchtte. 'Voor mijn kwaaltjes.' Ze slurpte van haar thee. Haar stengelogen keken in het rond. Een ervan focuste op de stok die over het hart lag. 'Neem nu dit hier. Wat denk je dat het is?'

'Een stok?'

'Het is een harttovenaar', zei ze. 'Hij toont me de weg die ik moet volgen.' Ze tuurde het bos in. 'We hebben nog tijd... Laat me je een kleine demonstratie geven.'

Ze hield de stok met één vinger rechtop in het midden van het hart. Ze sloot haar ogen, fluisterde: 'Hart, breng me waar u wilt', en liet haar vinger los. De stok viel.

'Maar hij landt op precies dezelfde plek als voorheen', zei Twijg.

'Ja, natuurlijk,' zei de snatertrol, 'want langs deze weg leidt mijn lot.'

Twijg sprong overeind. Hij raapte de stok op. 'Mag ik ook eens proberen?' vroeg hij opgewonden.

De snatertrol schudde haar hoofd, en haar ogen slin-

gerden bedroefd heen en weer. 'Je moet je eigen stok
vinden...'
Twijg schoot naar de bomen. De eerste stok die hij aan-
trof, hing te hoog; de tweede was te zwaar. De derde
was perfect. Hij klom de boom in en knapte een kleine
tak af, ritste de bladeren en schors eraf tot hij er precies
goed uitzag en sprong weer uit de boom.
'Aaaaargh!' schreeuwde hij toen iets – een of ander
wild, kwijlend zwart beest – hem te grazen nam, hem
op de grond sloeg en hem in bedwang hield. Het sil-

houet van zijn massieve schouders flikkerde in het lantaarnschijnsel. Zijn gele ogen glinsterden. Zijn kaken gingen open en...

Het jankte van de pijn.

'Karg!' gilde de snatertrol, terwijl ze het beest met haar stok een tweede tik op zijn neus uitdeelde. 'Hoe vaak moet ik het je nog vertellen? Enkel aas! Neem je eten en ga onmiddellijk naar de wagen. En snel een beetje! Je bent al laat!'

Met tegenzin liet het beest Twijgs schouders los. Het draaide zich, zette zijn tanden in het lijk van een tilder naast een boom, en sleepte het gehoorzaam naar de open plek.

De snatertrol hielp Twijg op de been. 'Niets beschadigd', zei ze, hem onderzoekend. Ze knikte naar zijn aanvaller. 'Een heel onderschat beest, deze roofgrijns. Loyaal – over het algemeen. Intelligent – uitermate. En sterker dan een os. Bovendien hoeft de eigenaar ervan zich geen zorgen te maken over zijn voedsel. Hij zorgt voor zichzelf. Als ik hem maar kon leren alleen de dieren te eten die ik al gedood heb.' Haar ogen wipten op en neer toen ze lachte. 'Ik kan hem toch mijn klanten niet laten oppeuzelen. Slecht voor de zaken!'

Terug op de open plek zat de roofgrijns gehurkt tussen de assen van de wagon, waar hij de resten van een dode tilder verscheurde en oppeuzelde. De snatertrol schoof een gareel over zijn kop, knoopte een buikgordel rond zijn middel en trok de banden strak.

Twijg stond ietwat opzij en keek met de stok in zijn hand toe. 'Je gaat toch niet weg, hè?' vroeg hij, toen ze

de houtblokken en de theespullen terug in de wagen slingerde. 'Ik dacht...'

'Ik wachtte alleen maar tot Karg gegeten en gedronken had', legde ze uit, terwijl ze op de bok klom. Ze greep de teugels beet. 'Maar nu vrees ik... Plaatsen te gaan, mensen te genezen...'

'Maar wat moet ik dan?' vroeg Twijg.

'Ik reis *altijd* alleen', antwoordde de snatertrol vastberaden. Ze gaf een ruk aan de teugels en vertrok.

Twijg zag hoe de lamp heen en weer slingerde toen de wagen met veel gekletter vertrok.

Voor de absolute duisternis hem weer helemaal insloot, hield hij zijn stok rechtop in het midden van het hart. Hij sloot zijn ogen en fluisterde: 'Hart, breng me waar u wilt.' Hij liet de stok los. Opende zijn ogen. De stok stond nog steeds rechtop.

Hij probeerde nog eens. Vinger erop. 'Hart, breng me...' Vinger los. Maar de stok bleef weigeren te vallen.

'Hey!' schreeuwde Twijg. 'De stok blijft hier gewoon staan.' De snatertrol gluurde om de zijkant van de wagen, haar stengelogen gloeiend in het schijnsel van de lamp. 'Waarom valt hij niet?'

'Geen flauw idee', antwoordde ze hem, en met deze woorden was ze verdwenen.

'En dat noemt zichzelf wijs', mompelde Twijg boos en schopte de stok zo ver hij kon in het kreupelhout.

Het flikkerende lantaarnlicht verdween. Twijg draaide zich om en trok in tegenovergestelde richting de donkere bossen in, zijn geluk vervloekend. Niemand bleef. Niemand trok zich iets van hem aan. Allemaal mijn eigen stomme schuld. Ik mocht nooit, *nooit* van het pad zijn afgedwaald.

HOOFDSTUK TWAALF

DE LUCHTPIRATEN

Hoog boven Twijgs hoofd werden de wolken dunner. Ze wervelden en wriemelden rond de maan als een emmer vol maden.

Twijg staarde in de lucht, gefascineerd en tegelijk doodsbang: zoveel activiteit in de lucht terwijl hier beneden, op de bosgrond, alles zo rustig was. Geen blaadje bewoog. De zware lucht leek elektrisch geladen.

Plotseling doorkliefde een blauwwitte flits de hemelen. Twijg telde. Bij de elfde tel rommelde een bulderende donderslag. De hemel lichtte opnieuw op, deze keer helderder; opnieuw weerklonk een zware donderslag. Deze keer telde Twijg tot acht. Het onweer dreef zijn richting uit.

Hij begon te lopen. Glijdend, strompelend, soms vallend snelde hij over de verraderlijke bosgrond – nu eens helder als de dag, dan weer donker als de nacht. Een droge, elektrische wind was opgestegen. Die bracht zijn haar in de war en zette de haartjes van zijn hamelhoornhuidvest recht overeind.

Door de verblindende schittering van de bliksemflits leek de duisternis die erop volgde nog donkerder. Twijg waggelde op de tast verder. De wind joeg tegen zijn rug. Pal boven zijn hoofd weerklonk een geknetter, en een absoluut heldere, witte, getande vork spleet de hemel uiteen. Een fractie van een seconde later bulderde de donder met een oorverdovende KR-R-R-R-R-R-R-R-R-R-AK! De lucht trilde. De aarde beefde. Twijg viel languit op de grond en sloeg zijn armen om zijn hoofd. 'Hij v... valt', stamelde hij. 'De hemel valt op mijn hoofd.'

Een tweede oogverblindende, oorverscheurende combinatie van donder en bliksem teisterde het woud. Daarna een derde. En een vierde. Maar er verliep steeds meer tijd tussen flits en knal. Twijg kroop wankelend overeind. Het woud, het ene ogenblik stralend verlicht als een stam dansende skeletten, het volgende ogenblik in volledige duisternis gehuld, stond nog steeds om hem heen.

Hij klom in een van de bomen, een hoge, oude fikhout, om te zien hoe de storm zich verwijderde. Steeds hoger ging hij de boom in. De loeiende wind rukte aan zijn armen en voeten. Eenmaal helemaal boven, rustte hij zwaar hijgend in een schommelende vork. De lucht rook naar regen, maar er viel geen druppel. De bliksem kliefde, de hemel gloeide, de donder bulderde. Plotseling ging de wind liggen.

Twijg wreef zich de ogen uit en kamde met zijn vingers de laatste parels en strikken uit zijn haar. Hij keek toe hoe ze onder hem uit het zicht buitelden en dwarrel-

den. Hij keek op, en daar, een seconde lang, duidelijk afgetekend tegen de bliksemende lucht...

Twijgs hart sloeg een tel over. 'Een luchtschip', fluisterde hij.

De bliksem stierf weg. Het schip verdween uit het zicht. Een nieuwe flits, en de hemel baadde weer in het licht.

'Maar nu kijkt het de andere kant uit', zei Twijg. Nog meer splijtende bliksems en de hemel stond nu helemaal in lichterlaaie. 'Het tolt', snakte hij naar adem. 'Het zit gevangen in een wervelwind.'

Om en om draaide het schip, sneller en sneller, zo snel dat zelfs Twijg duizelde. Het grootzeil sloeg wild, het tuig geselde de lucht. Machteloos, oncontroleerbaar, werd het schip getrokken naar de kolkende spiraal in het centrum van de storm.

Eensklaps zigzagde een enkele bliksemvinger uit de wolk naar beneden. Hij raasde naar het tollende schip – en sloeg toe. Het schip rolde op zijn kant. Iets kleins en ronds en fonkelend als een ster viel van de kant af, en duikelde omlaag naar het bos. Het luchtschip dook er spiraalsgewijs achteraan.

Twijg snakte naar adem. Het luchtschip donderde als een steen uit de lucht.

Het werd opnieuw donker. Twijg kauwde op zijn haar, zijn sjaal, zijn nagels. Het bleef donker. 'Nog één flits...', smeekte Twijg. 'Zodat ik kan zien wat...'

De flits kwam en verlichtte een uitgestrekte strook aan de verre horizon. In het flauwe licht zag Twijg drie vleermuisachtige wezens boven het vallende schip cirkelen. En, terwijl hij keek, kwamen er twee... nee, drie andere bij, elk springend van het dek en fladderend op de afnemende wind. De luchtpiraten lieten hun schip in de steek. Een achtste figuur wist nog net zijn hachje te redden, nauwelijks enkele seconden voor het lucht- schip neerstortte in het woudgewelf.

Twijg kromp ineen. Had de hele bemanning op tijd kunnen ontsnappen? Was het luchtschip tot gruzele- menten herleid? Waren de vliegende figuren die hij ge- zien had, veilig geland?

Hij vloog de boom uit en holde zo snel zijn benen hem dragen konden door de bossen. De maan scheen helder en klaar, en de nachtdieren maakten een hels kabaal. De bomen, gevangen in hun eigen schaduwen, leken in lange netten gedrapeerd. Behalve hier en daar een af- gebroken tak en de geur van smeulend groenhout was er geen enkel teken dat erop wees dat de storm ook hier had gewoed. Twijg liep tot hij niet meer kon.

Hij stond voorovergebogen, een venijnige steek in zijn zij, en snakte naar adem. Boven zijn hoofd zaten maan- vogels luidruchtig op hun tak te kwetteren. Toen hoor- de Twijg een ander geluid. Een gesis. Een gespuw. Hij stapte naar voren. Het geluid leek te komen uit een kamstruik iets verderop. Hij duwde de takken opzij, en werd onmiddellijk getroffen door een gloeiend hete luchtstroom.

Half begraven in de grond lag een rotsblok. Een enorm, rond rotsblok dat witheet gloeide. Het gras eromheen was verschrompeld, de overhangende struik zwartge- blakerd. Twijg tuurde naar de rots, zijn ogen beschermend tegen de hitte en de schittering. Zou dit de *ster* zijn die hij uit het luchtschip had zien vallen? Hij keek in het rond. Het schip en zijn bemanning konden niet ver weg zijn.

De maanvogels maakten met een irriterend gekrijs ruzie over iets. Twijg klapte met zijn handen om ze weg te jagen. In de daaropvolgende stilte hoorde Twijg het lage gemurmel van stemmen.

Hij sloop voorwaarts. De stemmen werden luider. Hij zag een grote, zwaargebouwde man met een rood gezicht en een dikke, geknoopte baard. Twijg dook onmiddellijk weg achter een dikke tak. Het was een luchtpiraat.

'We moeten op zoek naar de anderen', sprak hij met een diepe en bedachtzame stem. Hij grinnikte. 'De uitdrukking op Sluwo's gezicht toen hij sprong. Hij zag helemaal wit om zijn neus.'

'Hij was iets van plan', antwoordde een schrille stem zakelijk. 'En het was niet veel goeds.'

Twijg rekte zich uit om te zien wie er sprak.

'Daarin heb je geen ongelijk, Spijker', zei de bebaarde piraat korzelig. 'Sinds die zaak met het ijzerhout is hij helemaal niet gelukkig. Die elektrische storm was een verhulde zegen, of mijn naam is niet Tem Blafwater.' Hij wachtte eventjes. 'Ik hoop alleen maar dat alles in orde is met de kap'tein.'

'Moge de hemel het willen', luidde het antwoord.

Twijg rekte zich nogmaals uit, maar zag nog steeds maar één piraat. Hij ging op de tak staan om beter te kunnen zien en – KRAK – het hout brak onder zijn voet doormidden.

'Wat was dat?' riep Tem Blafwater. Hij draaide zich om en tuurde door de zilveren schaduwen.

'Waarschijnlijk een of ander beest', zei de tweede piraat.

'Daar ben ik niet zo zeker van', zei Tem Blafwater langzaam.

Twijg drukte zich plat tegen de grond. Het ruisende geluid van op de tenen lopende voetstappen kwam dichterbij. Twijg keek op... en staarde recht in het gezicht van een fijngevormd hoewel breed gezicht van iemand die nauwelijks ouder was dan hijzelf – zo te zien een eikelf. Dit moest Spijker zijn.

De eikelf keek Twijg aan met een verwarde blik in zijn ogen. Ten slotte vroeg hij: 'Ken ik jou?'

'Iets gevonden?' riep Tem Blafwater.

Spijker bleef Twijg aanstaren. Zijn gekuifde oren draaiden. 'Ja', zei hij stil.

'Wat zeg je?'

'Ik zei *ja*', riep hij terug en greep Twijg bij zijn schouder. De vacht van de hamelhoornhuid veranderde meteen in naalden en stak de hand van de eikelf. Hij gilde, trok zijn hand terug en zoog zacht op zijn vingers terwijl hij Twijg wantrouwig bleef aanstaren. 'Volg me', beval hij.

'Wat hebben we hier?' zei Tem Blafwater toen Spijker en Twijg uit de bossen tevoorschijn kwamen. 'Een mager klein doetje, vind je niet?' sprak hij en kneep Twijgs bovenarm tussen een dikke vinger en duim. 'Wie ben jij, jongen?'

'Twijg, mijnheer', zei Twijg.

'Een extra hand aan boord, hè?' zei hij, en knipoogde naar Spijker.

Twijg voelde een siddering van opwinding door zijn lichaam schieten.

'Als er nog een "aan boord" bestaat', merkte de eikelf op.

'Tuurlijk wel!' zei Tem Blafwater. Hij lachte schor. 'We moeten alleen maar vinden waar het terechtgekomen is.'

Twijg schraapte zijn keel. 'Ik denk dat het daar ligt', zei hij, rechts van hem wijzend.

Tem Blafwater draaide zich om, bukte zich en drukte zijn groot, rood, harig gezicht tegen dat van Twijg. 'En hoe zou jij dat kunnen weten?'

'Ik... Ik zag het neerstorten', zei hij onzeker.

'Je *zag* het', bulkte hij.

'Ik zat in een boom. Om naar de storm te kijken. Ik zag hoe het luchtschip door de wervelstorm werd gegrepen.'

'Je zag het', herhaalde Tem Blafwater deze keer zachter. Hij sloeg zijn handen tegen elkaar. 'Dan kun je ons er beter naartoe brengen, jij kleine onverlaat.'

Dankzij een mengsel van geluk en giswerk bereikten ze de plek. Ze hadden nauwelijks honderd passen gezet of Tem Blafwater ontdekte de romp voor hen, fonkelend in het heldere maanschijnsel hoog in de takken.

'Daar is ze', mompelde hij. 'Onze goeie ouwe *Stormenjager*. Prima werk, jongen', zei hij tot Twijg en gaf hem een joviale klap op zijn schouder.

'Sssh!' siste Spijker. 'We zijn niet de eersten.'

Tem hield zijn hoofd schuin. 'Het is die schurk van een kwartiermeester, Sluwo Spliet', gromde hij.

Spijker hield een vinger voor zijn lippen, en samen stonden ze muisstil, ingespannen luisterend naar het gemompelde gesprek.

'Het heeft er alle schijn van, mijn goede Sulkrent, dat onze kapitein zich te ver gewaagd heeft', hoorden ze Sluwo zeggen. Zijn stem klonk nasaal en heel nauwgezet, en hij spuwde elke *t* en *d* uit als iets onsmakelijks.

'Te ver gewaagd!' weerklonk een lage, norse echo.

Tem Blafwater schoof onrustig heen en weer. Op zijn gelaat verscheen een donkere uitdrukking. 'De Steen-piloot is ook bij hen', zei hij.

Twijg gluurde door een gat in de bladeren. Daar stonden drie piraten. Sulkrent was een plathoofd-kobold. Met zijn platte schedel en wijde oren was hij een typisch exemplaar van deze soort, maar hij leek veel kwaadaardiger dan de plathoofd-kobold die Twijg uit het slijk had gehaald. Achter hem stond een gedrongen schepsel in een zware jas en nog zwaardere laarzen. Zijn hoofd ging schuil achter een grote, gepunte hoed die tot over zijn borst kwam. Twee ronde, glazen ruitjes maakten het hem mogelijk erdoor te kijken. De derde piraat was Sluwo Spliet zelf: een grote, hoewel ietwat voorovergebogen figuur, een en al nagels en pinnen. Zijn neus was lang, zijn kin scherp, en achter de van een ijzeren montuur voorziene bril waren zijn ogen onophoudelijk in beweging.

'Ik bedoel, ik ben helemaal niet het type dat zegt: "zie je wel"', ging hij verder. 'Maar... wel... Als we het ijzerwoud *hadden* verlaten, *zoals* ik voorstelde... De prijzen van het goedje zijn tegenwoordig toch gekelderd.' Hierop volgde een pauze en een zucht. 'Als we het bos *hadden* verlaten, waren we nooit in de buurt van die storm gekomen.'

'In de buurt van de storm', gromde Sulkrent.

'Maar toch. Wie ben *ik* om met het lot te ruziën? Als het bevel over het schip beschikt was om op mijn schouders te rusten, dan moet ik mijn verantwoordelijkheid aanvaarden met...' Hij zocht naar het juiste woord.

Sulkrent vulde de stilte op. 'Verantwoordelijkheid met...'

'O, onderbreek me niet steeds!' snauwde Sluwo. 'Je bent een dappere krijger, Sulkrent, begrijp me niet verkeerd: alle lof voor jouw stam. Maar je weet absoluut niet wanneer je je mond moet houden.'

'Mond houden', herhaalde Sulkrent.

Sluwo gromde ongeduldig. 'Kom', zei hij. 'Laten we de anderen het goede nieuws vertellen.'

Tem kon niet langer zwijgen. 'Verraderlijke hond', bulderde hij toen hij het kreupelhout uit en de open plek op stormde. De Steenpiloot, Sulkrent en Sluwo Spliet draaiden zich om.

'Mijn *goede* Tem', zei Sluwo, zijn ontgoocheling onmiddellijk verbergend in een strak-gelipte glimlach. 'En Spijker. Jullie hebben het allebei overleefd.'

Twijg bleef waar hij was – luisterend, toekijkend.

'*Hij* zou vastgeketend moeten worden', zei Tem en wees op de plathoofd-kobold. 'Orders van de kapitein.'

Sluwo liet vleierig zijn hoofd zakken en speelde met een van de knopen in zijn snor. 'Het zit namelijk zo', zei hij, over zijn bril spiedend. 'Zoals ik net aan het zeggen was tegen Sulkrent, onze geroemde kapitein, Quintinius Verginix, is...' Hij keek theatraal in het rond. '*Niet* hier.' Hij lachte zelfgenoegzaam. 'En Sulkrent is toch *zo* dol op zijn vrijheid.'

Tem gromde. Voorlopig kon hij niets doen. 'In welke staat bevindt het schip zich?' vroeg hij.

Sluwo keek op. 'Hoe gaat het, Stoop?' riep hij.

'Oké', weerklonk een stem, die piepte toen ze sprak.

'Vooral oppervlakki-
ge schade. Het roer
heeft een zware klap
gekregen. Maar niets
dat ik niet kan herstellen.'
'Zal ze spoedig opnieuw
luchtvaardig zijn?' vroeg
Sluwo ongeduldig.

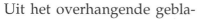

Uit het overhangende gebla-
derde piepte een hoofd tevoorschijn. Het
was een hard, klein hoofd met een nauw aansluitend
metalen frame over de schedel om een met bouten
vastgezette kaak op zijn plaats te houden. 'Ze zal pas
luchtvaardig zijn wanneer we de vluchtrots weer op
zijn plaats gekregen hebben', antwoordde hij.
Sluwo trok een grimas en stampvoette nukkig. 'Kun je
niet improviseren? Fikhout, bloedeik – ze gaan toch
ook de hoogte in. Verbrand gewoon wat meer...'
Stoop Boutkin mompelde afkeurend 'ts ts' en schudde
zijn hoofd. 'Dat kan ik niet doen', schudde hij. 'Je zou
nooit een vuur krijgen dat groot genoeg is om de vereiste lift omhoog te krijgen, en trouwens...'
'Maar je moet toch *iets* kunnen doen', riep hij. 'Ik begrijp nog steeds niet waarom dat verdomde rotsblok
naar beneden donderde.'
'Omdat de bliksem erop viel', antwoordde Stoop Boutkin.
'*Dat* weet ik ook wel, stomme idioot!' snauwde Sluwo.
'Maar...'
'Koude rots stijgt, hete rots daalt', ging Stoop geduldig

verder. 'Een wetenschappelijk feit. En ik zal je nog een ander wetenschappelijk feit vertellen. Wat opwarmt, koelt ook weer af. Als jullie niet snel die vluchtrots vinden, zweeft hij voorgoed weg. En nu, als jullie me willen excuseren, ik moet de baker-meertrossen herstellen. Voor het geval jullie de rots vinden.' Zijn hoofd verdween opnieuw achter de bladrijke takken.

Sluwo beet op zijn lip. Het bloed trok weg uit zijn gezicht.

'Jullie hebben hem gehoord', bromde hij. 'VIND DE VLUCHTSTEEN!'

Spijker en Sulkrent draaiden zich om en schoten ervandoor. De Steenpiloot sukkelde achter hen aan. Tem Blafwater verroerde geen vin.

'Wel?' vroeg Sluwo.

'Misschien kan ik je vertellen waar de rots zich bevindt. Op één voorwaarde. Zodra de rots terug op zijn plaats zit, wachten we op de kapitein.'

'O, maar *natuurlijk*', antwoordde Sluwo. 'Ik geef je mijn *woord*.' Hij reikte vooruit en schudde Tem de hand.

Vanuit zijn schuilplaats in het kreupelhout zag Twijg de andere arm van de kwartiermeester achter zijn rug. Deze hand miste twee vingers, en de ruwe littekens leken heel recent. De twee overblijvende vingers waren stijf gekruist.

Tem knikte. 'Ik zal ervoor zorgen dat je je woord houdt', zei hij. Hij draaide zich om. 'Twijg', riep hij. 'Zit je daar, jongen? Kom tevoorschijn zodat ik je kan zien.'

Twijg stond op en zette een paar passen voorwaarts.

'Een spion!' siste Sluwo.

'Een getuige', zei Tem. 'Van wat je beloofd hebt.' Hij richtte zich tot Twijg. 'Weet je waar de vluchtrots geland is?' vroeg hij. Twijg aarzelde. Hij wierp een vluchtige blik op Sluwo Spliet. 'Je hoeft niet bang te zijn', stelde Tem hem gerust.

Twijg knikte instemmend. 'Ja, dat weet ik', gaf hij toe. 'Ik heb hen gezien. Net een vallende ster – een *neerstortende* ster. Een *dalende* ster...'

'Schiet op!' zei Sluwo scherp.

Twijg bloosde. Hij praatte te veel. Maar hij kon het niet helpen. De opwinding van de ontmoeting met de ruwe en gemene luchtpiraten deed zijn hart sneller slaan en maakte zijn tong losser. Hij ontweek Sluwo's starende blik en begon te stappen. 'Deze richting uit', zei hij.

'Hey, jullie daar', riep Sluwo Spliet tot Spijker, Sulkrent en de Steenpiloot. 'Volg ons.'

Twijg leidde het schorem piraten door de bossen. Hij herkende de weg in het schommelende lampschijnsel. Eerst hoorde en daarna zag hij de neuriënde kamstruik. Hij stapte eropaf en trok de takken uit elkaar. De steen lag er nog steeds, diep in de grond gezakt. Hij verspreidde een diepe, boterachtig gele gloed.

'Daarnet was hij wit', zei Twijg.

'De rots is aan het afkoelen', zei Tem. 'De truc bestaat erin de steen weer op het luchtschip te krijgen terwijl hij licht genoeg is om te dragen, maar tegelijkertijd zwaar genoeg om niet weg te zweven.'

Sluwo draaide zich naar de Steenpiloot. '*Jij* bent verantwoordelijk voor het transport van de steen', zei hij. Van diep binnen in de gepunte hoed van de Steenpiloot

weerklonk een in-
stemmend gegrom.
Hij waggelde naar
voren, hurkte neer
en sloeg zijn bre-
de armen om de
rots. De mouwen
en de voorkant
van zijn vuurbe-

stendige jas sisten. Twijg
snoof. De lucht rook naar verzengde modder. De Steenpiloot hijgde en kreunde en de glazen ruitjes op zijn hoed besloegen. Maar de
vluchtrots gaf geen krimp.

'Giet jullie waterflessen erover
uit', zei Tem.

'Ja', zei Sluwo, die zich zijn
nieuwe verantwoordelijk-
heid herinnerde. 'Giet jullie
waterflessen erover uit.' Allen begonnen water over de
gloeiende steen te gieten.
Waar het terechtkwam, siste
het water en werd de steen
oranje. 'Meer!' beval Sluwo.

De luchtpiraten draafden weg en
kwamen al snel met volle flessen
terug. Beetje bij beetje kreeg de rots een
dieprode kleur. Hij begon te wiebelen in de
aardse kloof die hij had geslagen. De Steenpi-

loot waagde nog eens zijn kans. Deze keer gaf de rots met een zacht *ssss-kwap* mee.

Strompelend en piepend onder het gewicht sjokte de Steenpiloot terug naar de open plek. De anderen beenden achter hem aan. Wegens de intense hitte die van de rots straalde, konden ze niet helpen, konden ze alleen maar hopen en bidden.

De romp van het luchtschip kwam in zicht. 'We hebben hem, Stoop', riep Tem uit. 'We hebben de vluchtrots!'

'Ik ben dadelijk klaar', riep Stoop Boutkin terug, en Twijg merkte opnieuw het piepende geluid op als hij sprak. 'Eerst nog eens controleren of de enterhaken en de ankers in orde zijn', zei hij. 'Want we willen toch niet dat ze vertrekt zonder ons, hè?'

De Steenpiloot gromde. De afkoelende rots dreigde elk moment aan zijn greep te ontsnappen.

'Heb je de baker getuigd?' riep Sluwo omhoog.

'Voor wie hou je me wel?' klonk het geïrriteerd. 'Natuurlijk heb ik dat! Ik heb wat ijzerhout gebruikt. Het drijft minder goed dan fikhout of bloedeik, maar het is vuurbestendiger – voor het geval de rots nog steeds heet is.'

De Steenpiloot gromde nu heel uitdrukkelijk.

'Hij gaat de hoogte in!' gilde Spijker.

Stoop Boutkins hoofd verscheen uit de boom. 'Kun je ermee klimmen?' vroeg hij.

De Steenpiloot schudde zijn hoofd en bromde. Meer kon hij niet doen, wilde hij de steeds heviger opwaarts duwende steen in zijn greep houden.

'In dat geval', riep Stoop naar beneden, 'gaan we over

op plan B. Maar om het te doen slagen, is uiterst precieze nauwkeurigheid vereist. De Steenpiloot moet de
rots *pal* onder de baker brengen voor hij hem loslaat.
Dus, een paar passen naar links...'
De Steenpiloot schuifelde onhandig naar links.
'Stop. Ietsje vooruit. STOP! Een heel klein beetje achteruit. Links. Nog wat meer achteruit.' Stoop pauzeerde.
'Zo zou het moeten lukken', fluisterde hij. 'Wanneer ik
nu zeg, laat je de rots los – maar let erop dat je hem
geen duw geeft.'
Twijg tuurde in de boom. Hij zag Stoop Boutkin de
deur openen van een kooivormig apparaat dat vastzat
aan het midden van de romp. Met zijn voet hield hij ze
open en hief een lange harpoen boven zijn hoofd.
'Nu!' gilde hij.
De Steenpiloot liet zijn lading voorzichtig los. Een
ogenblik lang hing de rots in de lucht. Toen begon hij
te stijgen, eerst langzaam, maar spoedig steeds sneller.
Twijg zag hoe Stoop Boutkin zich schrap zette tegen
een tak. De rots naderde. Hij ging de baker missen!
Stoop leunde voorover en porde de rots zacht met zijn
harpoen. Hij kantelde iets naar links, en bleef stijgen.
'Komaan, komaan', maande Sluwo de vliegende rots
aan. Hij richtte zich tot Sulkrent. 'Als het hem lukt, wil
ik iedereen onmiddellijk aan boord', siste hij. Twijg
luisterde aandachtig. 'En als Tem Blafwater bezwaar
maakt,' ging hij verder, 'maak hem dan af, Sulkrent.
Oké?'
KER-DONK! De steen landde op de baker. SLAM-KLIK.
Stoop Boutkin trapte de deur dicht. Hij boog zich en

maakte de vangst vast. 'Gelukt!' brulde hij triomfantelijk.

Twijg voelde zijn hart sneller slaan. Het prachtige
luchtschip was opnieuw vliegklaar, en hij juichte en ju-
belde samen met de piraten.

'Dit zullen we niet vergeten,
Stoop Boutkin', kondigde Sluwo
aan. 'Puik gedaan!'

'Ja zeker!' klonk een tweede stem,
diep en helder. 'Puik gedaan!'

Allen draaiden zich om.

'Kap'tein', grinnikte Tem Blafwater. 'Je hebt het gehaald!'

'Inderdaad, Tem', luidde het
sobere antwoord.

Twijg staarde de kapitein
aan. Wat zag hij er schitterend uit! Hij was groot en
stond, anders dan Sluwo,
kaarsrecht, trots en elegant.
Zijn bakkebaarden waren
met was ingewreven, en
een zwart lapje be-
dekte een oog. Aan zijn
lange piratenjas hingen talloze voorwerpen: van verre-
kijkers en telescopen tot enterhaken en dolken. Aan
zijn zij hing een gekromd zwaard, glinsterend in het
zilveren maanlicht. Twijg deinsde terug. Had hij niet
eerder al eens een dergelijk zwaard gezien, met dat van
juwelen voorziene heft en die bluts in het blad?

Net toen verscheen een achtste gedaante uit het kreupelhout. Twijg staarde hem aan. Het was onmiskenbaar een gabberbeer, hoewel hij er heel anders uitzag dan zijn oude makker. Deze gabberbeer was wit met rode ogen – een albino. Hij haalde het dode lichaam van een hamelhoorn van zijn schouder en liet het op de grond vallen. Toen ging hij achter de kapitein staan.

'Ah, Hubbel', zei de kapitein.

'Je komt als geroepen. Grijp de plathoofd en keten hem vast.'

De gabberbeer wees omhoog naar het luchtschip. 'Wuh?' uitte hij.

'Nee', zei de kapitein. 'Aan een boom. Maar dan wel een sterke.' Sulkrent grauwde en stak misnoegd een vuist op. De gabberbeer sloeg de vuist weg, greep de ketting rond de nek van de plathoofd vast, en tilde hem bijna op.

'Rustig, Hubbel', zei de kapitein.

De gabberbeer liet zijn arm zakken en trok aan de ketting. Sulkrent werd weggeleid.

'Bent u van mening dat dit wel *verstandig* is, heer?' weerklonk de jengelende stem van Sluwo Spliet. 'We bevinden ons in het Diepe Woud. *Van alles* kan het op ons gemunt hebben... Sulkrent kan ons nuttige diensten bewijzen bij een verrassingsaanval.'

De kapitein draaide zich om en fixeerde Sluwo met zijn goede oog. 'Denk je dat ik niet weet wat er in je muitende hart omgaat, Spliet?' vroeg hij. 'Je vrienden in de Onderstad Liga der Vrije Handelaars kunnen je hier in het Diepe Woud niet helpen. Nog één woord en ik laat je lucht-vuren.'

'Wat is lucht-vuren?' fluisterde Twijg tegen Spijker.

'Je wordt vastgebonden aan een tak van een brandende bloedeik', fluisterde de eikelf terug, 'en daarna als een raket de lucht in geslingerd, terwijl je gilt van de angst.'

Twijg huiverde.

'We overnachten hier en vertrekken bij het eerste ochtendgloren', zei de kapitein. Hij richtte zich tot Tem. 'Goed dan, scheepskok', zei hij, terwijl hij de dode hamelhoorn een trap gaf. 'Koken maar!'

'Aye-aye, kap'tein', zei Tem enthousiast.

'Spijker, stippel de weg terug naar Onderstad uit. Ik wil niet langer dan noodzakelijk in deze verdoemde bossen blijven.' Hij keek op. 'Hoeveel werk heb je nog, Boutkin?'

'Nog een paar uur, kap'tein', luidde het antwoord. 'Ik moet nog de nieuwe moeren afschuinen en de vingerlingen op een lijn brengen...'

'En de Steenpiloot?'

'Hij is in de machinekamer de flensleidingen opnieuw aan het uitboren.'

'Prima werk', zei de kapitein. Hij draaide zich om en keek Twijg aan.

En op dat ogenblik wist Twijg absoluut zeker dat hij de kapitein al eens ontmoet had. Door het ooglapje had hij hem niet onmiddellijk herkend. Dit was de man die Tuntum en hij ontmoet hadden in het bos toen zijn woudtrolvader hem aan een job probeerde te helpen. De grote, sierlijke luchtpiraat met zijn met juwelen bezette zwaard – met de bluts in het blad. Hoe kon hij dit vergeten zijn?

'Wat sta jij me aan te gapen?' blafte de kapitein. 'Help de anderen met het vuur.'

Twijg ging dadelijk aan de slag. Hij schoot het bos in op zoek naar aanmaakhout. Maar toen hij terugkeerde, brandde al een hevig vuur, brullend en knetterend. Telkens wanneer Spijker en Tem Blafwater een houtblok op het vuur gooiden, vulde een machtige regen van oranje vuursprankels de lucht. De verschillende soorten hout lieten het vuur zingen en grommen en sissen. Nu en dan vloog een brandend blok fikhout uit de vlammen op en suisde de lucht in als een noodsignaal. Twijg huiverde. Opgegroeid te midden van woudtrollen, had hij geleerd de grootste eerbied te hebben voor vuur – de verraderlijkste noodzaak voor een bosbewoner. Dat was de reden dat ze zweefhout in kachels verbrandden. De onachtzaamheid van de luchtpiraten deed hem verstomd staan.

Hij was brandende takken in het vuur aan het schoppen toen Hubbel terugkeerde van de hem opgedragen taak. Hij was op zoek naar de kapitein, maar toen hij Twijg passeerde, bleef hij staan.

'Wuh!' loeide hij en wees naar de tand rond Twijgs nek.

'Ik zou niet te dicht bij Hubbel komen als ik jou was', zei Tem. 'In het beste geval is hij een onvoorspelbaar beest.' Maar Twijg sloeg er geen acht op. Ondanks de woeste verschijning van de witte gabberbeer lag er een droefenis in zijn blik die Twijg vertrouwd voorkwam. Het beest strekte een klauw uit en betastte voorzichtig de tand. 'T-wuh-g', gromde hij.

Twijg staarde hem stomverbaasd aan. Hubbel kende zijn naam! Hij herinnerde zich de keren dat zijn oude vriend naar de maan gejodeld had. Hij herinnerde zich de gejodelde antwoorden. Had Twijg de nacht dat de gabberbeer stierf de wanhopige schreeuw van Hubbel gehoord? Kon dit?

Hubbel tikte zijn eigen borst aan en wees toen naar Twijg. 'Vr-u-nd', zei hij.

Twijg glimlachte. 'Vriend', zei hij.

Op dat ogenblik weerklonk de woedende stem van de kapitein. Hij wilde Hubbel, en hij wilde hem ogenblikkelijk. Hubbel draaide zich om en sleepte zich gehoorzaam voort. Twijg keek op en zag hoe Tem Blafwater hem ongelovig aanstaarde.

'Ik zweer je dat ik in mijn hele leven nog nooit iets dergelijks gezien heb', zei hij. 'Bevriend met een gabberbeer! Wat gaan we nog meemaken?' Hij schudde zijn hoofd. 'Komaan, jongetje', zei hij. 'Help eens een handje.'

Tem stond bij het vuur. Nadat hij de hamelhoorn heel deskundig had gevild, had hij hem aan een stuk ijzerhout geregen en boven de vlammen gehangen. De lucht was vol van de geur van roosterend vlees. Twijg ging bij hem staan en samen draaiden ze het spit rond en rond, rond en rond.

Tegen de tijd dat Stoop Boutkin aankondigde dat hij klaar was en uit de boom klauterde, was de hamelhoorn gebakken. Tem sloeg op een gong.

'Het eten is klaar!' riep hij.

Twijg ging zitten tussen Tem Blafwater en Spijker. Tegenover hem zaten de kapitein en Hubbel, terwijl Sluwo Spliet zich wat afzijdig hield, in de schaduw. De Steenpiloot was niet komen opdagen, en Sulkrent de plathoofd-kobold, nog steeds vastgeketend aan de boom, moest zich tevredenstellen met de restjes die hem toegeworpen werden.

Naarmate de luchtpiraten hun lege magen vulden met zwart brood en stomende hompen hamelhoornvlees, doorgespoeld met bekersvol houtbier, werd de sfeer steeds uitgelatener.

'Ach,' lachte Tem Blafwater, 'we hebben wel grotere moeilijkheden gekend dan dit, is het niet, kap'tein?'

De kapitein gromde. Veel zin om te praten had hij blijkbaar niet.

'Herinner je je die keer dat we de ligaschepen aanvielen boven Sanctaphrax zelf? Nooit gedacht dat we daar nog uit zouden raken. Omsingeld waren we, we konden nergens heen, en we werden aangevallen door een enterende troep moordzuchtige plathoofd-kobolds die te voorschijn sprongen uit de vrachtruimten van die grote, zware ligaschepen. Nooit Spliet zo zien beven – noch zo snel zien lopen. Hij bleef maar prevelen: "In die ruimten moest leverberk gezeten hebben!"...'

'En dat was ook zo', mompelde Sluwo. 'We zouden er een flinke stuiver aan verdiend hebben, ook...'

'Maar de kapitein liep niet weg, o nee, hij niet – niet Wolk Wolf', grijnsde Tem. 'Hij trok dat gigantische zwaard van hem en viel de troep aan, met Hubbel in zijn spoor. Het was moord, zeker weten, maar niet het soort moord dat de kobolds in gedachten hadden. En zo kregen we Sulkrent – de enige overblijvende kobold. Een ongelooflijk goede krijger, maar hij moet flink in de gaten worden gehouden... En toen verloor onze kapitein ook dat oog. Een eerlijke ruil, noemt hij het.'

'Genoeg, Tem', zuchtte de kapitein.

'Maar het was allesbehalve een eerlijke ruil toen ik mijn onderkaak verloor', onderbrak Stoop Boutkin, terwijl zijn ijzerhouten vervangstuk piepte. 'Was, met mijn rug gekeerd, bezig met het anker. Ulbus Pentephraxis besloop me van achteren met een jachtbijl. Ik had geen schijn van kans.' Hij spuwde in het vuur. 'En nu is *hij* een ligakapitein levend in weelde en badend in luxe in Onderstad. Ligamannen!' Hij rochelde en spuwde nog eens.

'O, ze zijn zo slecht niet', sprak Sluwo Spliet, voorzichtig dichter bij het vuur schuifelend. 'Toen *ik* in Onderstad begon als...'

'Spijker', viel de kapitein hem in de rede. 'Heb je de weg al uitgestippeld?' De eikelf knikte. 'Prima kerel', zei hij, en keek langzaam de kring luchtpiraten rond, plotseling somber. 'De drie principes van luchtzeilen. Hijs de zeilen nooit voor je de route hebt uitgestippeld, vlieg nooit hoger dan je langste ankertouw, en meer onder geen enkele voorwaarde af in niet in kaart gebrachte gebieden.'

De piraten knikten ernstig. Iedere piraat wist hoe gevaarlijk het was te verdwalen in de uitgestrekte bladrijke oceaan. Twijg keek naar de in het peinzende oog van de kapitein weerspiegelde flakkerende vlammen.

'Eén keer deed ik het toch', ging hij verder. 'Landde waar ik niet mocht landen.' Hij zuchtte. 'Maar toen had ik geen andere keus.'

De piraten keken elkaar verrast aan. De kapitein was er de man niet naar om over zichzelf te praten. Ze vulden hun bekers en schoven dichterbij. De duisternis wikkelde zich als een deken om hen heen.

'Een natte en stormachtige nacht', begon Kapitein Quintinius Verginix – of Wolk Wolf. Twijgs lichaam trilde van opwinding. 'Een gure nacht', zei hij. 'Een nacht van verwachting en van verdriet.'

Twijg hing aan zijn lippen.

'Toen was ik een bemanningslid

aan boord van een ligaschip.' Hij keek de in de dovende vuurgloed badende cirkel van gezichten aan, monden open, ogen gesperd, en glimlachte. 'Stelletje rouwdouwen', grinnikte hij. 'Als jullie denken dat ik een harde leermeester ben, hadden jullie onder Multinus Gobtrax moeten hebben gediend. Meedogenloos, veeleisend, nauwgezet – de ergste ligakapitein die jullie ooit zullen ontmoeten.'

Twijg keek hoe de vuurvliegjes duikelaartje speelden in de lucht en in en uit de bladeren schoten. De wind was helemaal gaan liggen en zijn haar en huid voelden vochtig aan. Hij kauwde op het puntje van zijn sjaal.

'Beeld je eens in', vervolgde de kapitein zijn verhaal. Twijg sloot zijn ogen. 'We waren maar met zijn vijven aan boord, waarvan er maar vier in staat waren om het schip te besturen: Gobtrax en zijn lijfwacht, de Steenpiloot en ik. Maris was al negen maanden zwanger. De storm had ons verrast en ons uit de koers geblazen. Erger nog, de opwaartse luchtstromen waren vreselijk. Nog voor we het anker konden uitgooien of de enterhaken vastmaken, werden we opgezogen, ver boven de bossen en naar... open lucht.'

Twijgs hoofd tolde. Van het pad afdwalen was al erg genoeg, maar verdwaald zijn in open lucht...

'We streken de zeilen, maar desondanks bleven we stijgen. Ik hurkte neer naast Maris. "Alles komt goed", zei ik, hoewel ik nauwelijks mijn eigen woorden geloofde. We zouden nooit terug in Onderstad komen voor de bevalling begon, en zelfs al lukte het ons toch – wel, de geboorte van de baby bood weinig reden tot vreugde.'

Twijg opende zijn ogen en keek de kapitein aan. Hij staarde in de gloeiende sintels van het vuur, onbewust spelend met de wassen punten van zijn bakkebaarden. Zijn ene oog glinsterde vochtig.

'Was er iets mis met de baby?' vroeg Twijg.

De kapitein bewoog. 'Nee', zei hij. 'Behalve het feit dat er een baby kwam...' Hij pauzeerde, en zijn oog werd dof. 'Maris en ik moesten een heel belangrijke beslissing nemen', zei hij. 'Ik was ambitieus. Ik wilde ooit zelf het bevel voeren over mijn eigen schip – wat ik niet kon met een kind op mijn arm. Kapitein of vader, dat was de keuze die ik had. Maar ik had helemaal geen keus. Ik vertelde Maris dat we samen konden reizen, maar *zij* zou moeten kiezen tussen de baby en mij. Ze koos mij.' Hij ademde diep in, en uit. 'Moeder Paardenveer stemde toe om voor de baby te zorgen.'

Iedereen rond het vuur hield zich muisstil. De piraten staarden opgelaten naar de grond. Luisteren hoe hun Wolk Wolf zijn hart voor hen opende, bezorgde hun een ongemakkelijk gevoel. Tem Blafwater begon het vuur te stoken om zich een houding te geven.

De kapitein zuchtte. 'Althans, dat was het plan. Maar daar hingen we, kilometers verwijderd van Onderstad, en we werden nog steeds hoger getrokken.' Hij knikte omhoog naar het luchtschip. 'Het was de Steenpiloot die ons hachje redde, zoals hij ons ook deze avond heeft gered. Hij gooide water over de branders van drijfhout, maakte de balansgewichten los, en toen dat nog niet genoeg was, hing hij overboord om stukken van de vluchtrots af te hakken. Beetje bij beetje, naarmate scherven en stukken afbraken, vertraagde onze klim. Toen stopten we. En daarna begonnen we te dalen. Tegen de tijd dat de romp van het schip in aanraking kwam met het bos, waren we met z'n zessen aan boord. Maris was bevallen.'

De kapitein stond op en begon opgewonden heen en weer te stappen. 'Wat moesten we doen?' zei hij. 'We waren geland in het Diepe Woud, en de baby zou de terugreis te voet naar Onderstad nooit overleven. Gobtrax beval ons de baby weg te doen. Hij zei dat hij niet wachtte. Maris was hysterisch, maar de lijfwacht van Gobtrax – een kolossale, gigantische klontertrog – liet er geen twijfel over bestaan dat hij mij zou wurgen als ik weigerde... Wat *kon* ik doen?'

De piraten schudden ernstig hun hoofd, bedroefd. Tem pookte in het vuur.

'We verlieten het luchtschip en vingen onze tocht door het woud aan. Ik herinnerde me hoe luidruchtig de nachtschepsels waren, en hoe stil het bundeltje in Ma-

ris' armen. Toen kwamen we bij een klein woudtrollendorp...'

Twijg schrok op. De haren op zijn nek gingen overeind
staan. IJskoude rillingen betokkelden zijn ruggengraat.

'Vreemde wezens', mijmerde de kapitein. 'Gedrongen,
donker, niet te slim. Ze wonen in boomhutten... Ik
moest het kind uit Maris' armen rukken. De blik in
haar ogen! Alsof alle leven uit haar wegstroomde.
Nooit heeft ze nog een woord gesproken...' De kapitein
snoof.

Twijgs hart sloeg sneller en sneller.

'Ik wikkelde de baby in een sjaal', ging hij verder, zijn
stem niet meer dan een nauwelijks hoorbaar gefluister.
'De geboortesjaal die Maris voor de baby had gemaakt.
Helemaal zelf genaaid. Met een wiegeliedboom erop
voor geluk, zei ze. Ik legde de bundel aan de voet van
een hutboom, en we vertrokken. Niet één keer hebben
we achterom gekeken.'

De kapitein pauzeerde en staarde in de schaduwen van het woud, de handen ineengevouwen achter zijn rug. Ondanks de brullende vlammen had Twijg het plotseling koud. Hij moest zijn kaken stevig op elkaar klemmen om zijn klapperende tanden het zwijgen op te leggen.

'Je hebt de juiste beslissing genomen, kap'tein', zei Tem Blafwater stil.

De kapitein draaide zich om. 'Ik nam de *enige* beslissing, Tem', antwoordde hij. 'Het zit in het bloed. Mijn vader was luchtschipkapitein, net als zijn vader, en zijn grootvader. Misschien...'

Twijgs hoofd tolde en gonsde; allerlei gedachten schoten door zijn hoofd en botsten tegen elkaar op. De achtergelaten baby. De woudtrollen. De sjaal – zijn troostlapje. Hij staarde de majestueuze luchtpiraat aan. Kon jij echt mijn vader zijn? vroeg hij zich af. Vloeit jouw bloed door mijn aderen? Zal ook ik ooit het bevel voeren over een luchtschip?

Misschien. Misschien niet. Er was iets dat Twijg absoluut moest weten. 'De... de baby', zei hij bang.

De kapitein draaide zich om en staarde hem aan, alsof hij hem tot dan toe niet opgemerkt had. De wenkbrauw boven het ooglapje ging vragend omhoog.

'Dit is Twijg, kap'tein', zei Tem Blafwater. 'Hij vond de vluchtrots en...'

'Ik denk wel dat de jongen zelf kan praten', zei de kapitein. 'Wat wilde je zeggen?'

Twijg klauterde overeind en keek verlegen naar de grond. Hij ademde met korte, schokkende pufjes; hij

kon amper een woord uitbrengen. 'Heer', zei hij. 'Was de baby een m... meisje... – of een jongen?'

Quintinius Verginix keek Twijg aan, zijn voorhoofd vol diepe rimpels. Misschien kon hij het zich niet herinneren. Misschien herinnerde hij het zich maar al te goed. Hij streek over zijn kin. 'Het was een jongen', zei hij uiteindelijk. Kettingen rammelden achter hem toen Sulkrent zich in zijn slaap draaide. De kapitein dronk zijn beker leeg en veegde zijn mond af. 'Vroege start morgen', zei hij. 'We kunnen allemaal wat slaap gebruiken.'

Twijg dacht dat hij nooit meer zou slapen. Zijn hart fladderde op, zijn verbeelding maakte overuren.

'Hubbel, jij trekt de eerste wacht op', zei de kapitein. 'Wek me om vier uur.'

'Wuh', gromde de gabberbeer.

'En hou onze onbetrouwbare vriend hier in de gaten.'

Twijg schrok gealarmeerd, tot hij besefte dat de kapitein doelde op Sluwo Spliet.

'Hier', zei Spijker en overhandigde Twijg een deken. 'Neem dit. Ik zal het in mijn boezemnest wel warm genoeg hebben.' En met deze woorden klom de eikelf in de boom, sprong aan boord van het luchtschip en klauterde omhoog tot in de cocon bovenop de mast.

Twijg wikkelde zich in de deken en ging liggen op een bed van samengeraapte bladeren. Het vuur brandde hevig en heet. Glinsterende vonken en gloeiende sintels stegen de lucht in. Twijg staarde in de vlammen.

Maar voor de luchtpiraat – deze kapitein Wolk Wolf, de man die Spelda en Tuntum ertoe gebracht had Twijg weg te sturen uit vrees dat de piraat hem zou dwingen zich bij zijn bemanning aan te sluiten – voor hem zou Twijg om te beginnen nooit het woudtrollendorp verlaten hebben. Hij zou nooit van het pad afgeweken zijn. Hij zou nooit verdwaald zijn.

Maar nu begreep hij het. Hij was *altijd al* verdwaald geweest, niet alleen toen hij het pad verliet, maar al vanaf het prille begin, toen de luchtpiraat hem gewikkeld in een geboortesjaal achtergelaten had onder de hut van de Rukhouts. En nu was hij opnieuw terecht. Drie korte zinnen bleven door zijn hoofd malen.

Ik heb mijn pad gevonden. Ik heb mijn lot gevonden. Ik heb mijn vader gevonden!

Twijg sloot zijn ogen. Voor zijn geest sprong het beeld van de hartbetoverende stok die recht omhoog wees. Dat was waar zijn toekomst lag: in de lucht, bij zijn vader.

HOOFDSTUK DERTIEN

DE SCHEMERGLUIPERD

Roerloosheid heerste. Daarna was er beweging. Daarna heerste weer roerloosheid.

De eerste roerloosheid was dat ogenblik van diepste, donkerste stilte net voor het ochtendgloren. Twijg rolde op zijn zij, en trok Spijkers deken tot over zijn oren. Zijn dromen waren vol luchtschepen die zeilden over de indigo diepten. Twijg stond aan de helmstok. Hij zette zijn kraag op tegen de wind. 'Fier aan het zeilen', mompelde hij en glimlachte in zijn slaap.

De beweging was kort en doeltreffend: een vlaag van activiteit. Nog steeds aan de helmstok voer Twijg een rechte koers, terwijl de bemanning rond hem heen druk in de weer was met de netten, want ze voeren een terugkerende zwerm trekkende sneeuwvogels tegemoet. Op het menu zou gebakken sneeuwvogel staan.

De touwen klepperden en klingelden tegen de mast. 'Hard naar stuurboord', schreeuwde iemand. Twijg zuchtte, en rolde op zijn andere zij.

De tweede roerloosheid was oranje – een woestijn van flikkerende eenzaamheid. Er waren geen stemmen

meer, ook zijn eigen stem zweeg. Zijn rug was koud, zijn gezicht gloeide. Zijn ogen schoten open.

Eerst snapte hij niets van wat hij zag. Voor hem was een vuur. Zwartgeblakerde beenderen en vetvlekken in het stof. Het dichte gewelf boven zijn hoofd, met de hemel doorprikkende strepen helder vroeg morgenlicht.

Twijg zat rechtop. Plotseling stonden de gebeurtenissen van de vorige nacht hem voor de geest. De storm. Het luchtschip. De toevallige vondst van de vluchtrots. Eten met de piraten. De ontdekking wie zijn vader was... Maar waar was iedereen?

Ze waren ervandoor zonder hem. Twijg huilde van pijn en verlatenheid en eenzaamheid. Tranen stroomden over zijn wangen, het gestreepte zonlicht omtoverend tot een stervormige regenboog. Ze hadden hem achtergelaten! Zijn schokkende snikken vulden de lucht.

'Waarom, mijn vader, waarom?' riep hij uit. 'Waarom heb je me in de steek gelaten? Alweer!'

Zijn woorden stierven weg, vergezeld van de hoop ooit zijn weg buiten het Diepe Woud te vinden. Hij liet zijn hoofd hangen. Het bos leek rustiger dan normaal. Geen kuchende frompen, geen piepende quarmen, geen gillende meszwever. Niet alleen waren de luchtpiraten verdwenen, het leek wel alsof ze alle schepsels uit het bos hadden meegenomen.

Toch was de lucht niet helemaal stil. Er was een laag ronkend geluid, een sissend geluid, een knetterend geluid dat, terwijl Twijg met zijn hoofd in zijn handen zat, steeds luider klonk. De hitte aan zijn rug werd heviger. Het hamelhoornhuidvest begon onheilspellend te tintelen. Twijg draaide zich om.

'Yaaaiii!' gilde hij. Wat hij gezien had, was niet het zonlicht. Het was vuur. Het Diepe Woud stond in lichterlaaie.

Een stronk brandend eikenhout die uit het nonchalant aangelegde vuur van de luchtpiraten was gezweefd, had zich in de takken genesteld van een wiegeliedboom. De wiegeliedboom had gesmeuld en gerookt. Uren later had hij vlam gevat. Aangewakkerd door de stijve bries had het vuur zich snel verspreid. Nu, van de bodem van het bos tot de toppen van het bladergewelf, raasde een stevige muur van rode en oranje vlammen door het bos.

De hitte was overweldigend. Twijg viel toen hij overeind klauterde. Een brandende tak stortte vlak naast hem neer, de vonken explodeerden als druppels goud.

Twijg sprong op en rende.

Hij rende en rende – met de wind aan zijn kant – wanhopig proberend om het einde van de brandende muur te bereiken voor de vlammen hem verteerden. Hij liep zoals hij nog nooit gelopen had, maar helaas niet snel genoeg. Aan beide uiteinden kronkelde de muur van vuur zich rond hem. Spoedig zou hij helemaal omsingeld zijn.

De brandende lucht verschroeide de vacht van zijn jas, zweet stroomde over zijn gezicht en langs zijn rug, zijn hart bonsde door de meedogenloze stroom gesmolten lucht. De krommende uiteinden van de muur sloten hem steeds meer in.

'SNELLER', spoorde Twijg zichzelf aan. 'SNELLER!'

Hij vloog voorbij een stankpad, wiens korte, stompe voorpoten zijn vlucht, noodlottig, afremden. Een zweefworm, van zijn stuk gebracht door de hitte en de rook, vloog rond en rond tot hij in een explosie van stinkende stoom in de vlammen verdween. Rechts bespeurde Twijg het wriemelende groen van een teerkruiper die tevergeefs probeerde om het vuur te snel af te zijn: de bloedeik waaraan hij vasthing, schreeuwde en krijste toen de eerste oranje vlammen aan zijn stam likten.

Twijg rende en bleef rennen. De twee uiteinden van de muur raakten elkaar bijna. Hij was bijna helemaal omsingeld. Zijn enige hoop op ontsnapping lag in de kleine opening tussen de torenende vlammen. Als twee gordijnen die aan de hemel waren vastgehaakt, werden ze naar elkaar toe getrokken. Twijg schoot naar de smalle opening. Zijn longen brandden van de hitte en de bijtende rook; zijn hoofd duizelde. Als in een droom zag hij hoe de flakkerende gordijnen zich sloten.

Twijg stopte en hield halt. Hij stond pardoes midden in de vurige cirkel. Het was afgelopen met hem.

Overal rond hem rookten struiken en takken. Vlammen braken uit, smeulden en barstten in alle hevigheid los. Reusachtige vetplanten sisten en stoomden toen het water binnen in hun vette, hoekige bladeren begon te koken. Vetter en vetter werden ze, tot ze – BANG,

BANG, BA-BA-BA-BANG – explodeerden. Als kurken uit flessen woudchampagne schoten hun zaden in een straal schuimende vloeistof de lucht in.

Het water doofde de vlammen. Maar niet langer dan een seconde. Twijg stapte weg van de naderende vlammen. Hij keek over zijn schouder. Ook achter hem kwamen de vlammen steeds dichterbij. Links en rechts van hem sloot het vuur hem in. Twijg keek omhoog naar de hemel. 'O, Schemergluiperd', fluisterde hij. 'Help.'

Plotseling sneed een ontzagwekkend lawaai door de bulderende vlammen. Twijg draaide zich om. Op nauwelijks twintig meter dansten de purperen vlammen van een brandende fikhoutboom. Opnieuw hoorde hij

het krakende, scheurende geluid. Twijg zag de hele boom beven. Straks donderde hij op hem. Hij spiedde om zich heen. Hij kon nergens heen lopen, nergens schuilen, nergens bescherming vinden. Opnieuw echode het geluid rond hem – schurend, krassend, als de rotte tand die Twijg had verwijderd uit de gezwollen kaak van de gabberbeer.

'NEE!' gilde Twijg toen de boom wiebelde en schudde. Een ogenblik lang bleef hij hangen in de lucht. Twijg dook op de grond en rolde zich in een balletje. Een stroom verzengende lucht beukte op zijn lichaam. Hij kneep zijn ogen stijf dicht en wachtte, in doodsangst, tot de vallende boom hem zou verpletteren.

Er gebeurde niets. Hij wachtte nog wat langer. Nog steeds niet. Maar hoe kon dit? Waarom? Twijg tilde zijn hoofd op, opende zijn ogen – en snakte verbaasd naar adem.

De massieve fikhoutboom – nu een in lichterlaaie staande purperen verschrikking – zweefde boven de grond. De boom, die in brand ongelooflijk goed zweefde, had zijn wortels uit de aarde getrokken en steeg langzaam ten he-

275

mel op. Aan elke kant waren er nog twee andere fik-
houtbomen waarvan de wortels uit de grond werden
gerukt. De melancholische stem van de wiegeliedboom
vulde de lucht toen ook die steeg tot boven het brandende bos. De hemel zelf leek in lichterlaaie te staan.

Waar de brandende bomen hadden gestaan, heerste nu
absolute duisternis. Het leek een gekloofde glimlach.
Twijg greep zijn kans en deed een roekeloze uitval naar
de onverwachte opening. Hij moest die bereiken voor
ze zich weer sloot.

'Bij-na... bij-na...', hijgde hij.

Het vuur woedde aan beide kanten. Hij trok zijn hoofd
in, zette de kraag van zijn jas recht tegen de flikkerende hitte en liep door de spitsroeden van vlammen. Nog
een paar passen... Nog iets verder...

Hij hief zijn armen op om zijn ogen te beschermen, en
spurtte door de zich sluitende vlammen. Zijn keel prikte, zijn huid tintelde, zijn neusgaten vingen de geur
van zijn eigen geschroeide haar.

Plotseling werd de hitte minder intens. Twijg was uit
de vlammencirkel geraakt. Hij liep nog wat verder. De
wind was gaan liggen; de rook werd steeds dikker. Hij
hield halt, draaide zich om en keek nog een tijdlang toe
hoe grote, in lichterlaaie staande purperen en turkooizen ballen, over de hemel verspreid, majestueus stegen
in de donker wordende lucht.

Het was hem gelukt. Hij was ontsnapt aan de bos-
brand!

Maar hij had geen tijd om zichzelf te feliciteren. Althans, nog niet. De spiralen rook kronkelden zich om

hem heen, vulden zijn ogen en mond. Verblindden hem. Verstikten hem.

Steeds verder weg strompelde Twijg, ademend door de sjaal die hij stevig tegen zijn gezicht hield. Verder en verder. Zijn hoofd bonsde, zijn longen deden pijn, zijn ogen traanden. 'Ik kan niet verder', brabbelde Twijg. 'Ik *moet* nog verder.'

Hij bleef lopen tot het razen van het woud vervaagd was tot een herinnering, tot de verstikkende rook vervangen was door een dikke, grijze mist die – hoewel even verblindend dik als de rook – wonderbaarlijk verfrissend was. Hij bleef lopen tot hij de uiterste rand van het Diepe Woud had bereikt. En zelfs dan stopte hij niet.

De mist werd dikker en dunner.

Er waren geen bomen meer. Geen bosjes, geen struiken, geen planten noch bloemen. Onder Twijgs voeten werd de grond hard, toen de sponzige aarde van het Diepe Woud uitmondde op een voetpad van met kloven bezaaide steen, glad door de dikke, vette mist. Eenmaal gleed hij uit en zat zijn voet vast in de diepe barsten tussen de stenen.

De mist werd dunner en dikker, zoals steeds. Want dit was het Klifland, die nauwe strook braakliggende rots die het Diepe Woud scheidde van het Klif zelf. Verder lag het onbekende, het niet in kaart gebrachte, het nietverkende; een plaats van kolkende kraters, wervelende nevelen – een plaats waar zelfs de piraten zich nooit uit vrije wil zouden begeven.

De opkomende wind waaide hem van over het Klif te-

gemoet. Hij voerde de geur van zwavel met zich mee toen brede misttongen over de top van het Klif zweefden en de rotsen omhulden. De lucht was gevuld met het gekreun en gesteun van een eeuwigheid berouwvolle verloren zielen. Of was het toch maar de wind die zachtjes huilde?

Twijg sidderde. Was dit de. plek waarover de schutvogel het had toen hij hem vertelde dat zijn lot voorbij het Diepe Woud lag? Hij veegde de waterdruppels van zijn gezicht en sprong over een brede kloof in de steen. Bij

het neerkomen verstuikte hij zijn enkel. Hij gilde, viel en wreef zachtjes over het kloppende gewricht. De pijn nam geleidelijk af. Moeizaam kwam hij overeind en liet zijn gewicht rusten op zijn pijnlijke voet.

'Het valt wel mee, denk ik', zei hij.

Uit de zwavelige mist kwam een repliek. 'Blij dat te horen, Meester Twijg', hoorde hij.

Twijg snakte naar adem. Dit was zeker niet de wind die spelletjes met hem speelde. Dit was een stem. Een echte stem. Meer nog, een *vertrouwde* stem.

'Je hebt een behoorlijk eind afgelegd sinds je van het pad bent afgedwaald', vervolgde de stem, licht spottend. 'Zo verschrikkelijk, verschrikkelijk ver. En ik ben je steeds op de voet gevolgd.'

'W... wie ben je?' stamelde Twijg, turend in de grijze, wervelende mist. 'Waarom kan ik je niet zien?'

'O, maar je hebt me vaak genoeg gezien, Meester Twijg', ging de vleiende stem verder. 'In de slaperige morgen van het kamp der slachters, in de kleverige gangen van de kolonie drabkobolds, in de ondergrondse spelonk van de kijvende grotfeeksen... Steeds was ik er. Ik was altijd bij je.'

Twijgs knieën werden week. Hij was verward, bang. Hij pijnigde zijn hersenen, in een poging om wijs te raken uit de pas gesproken woorden. Die zachte, aandringende stem *had* hij inderdaad al eerder gehoord, dat stond als een paal boven water. En toch...

'Ben je het dan echt vergeten, *Meester* Twijg?' klonk de stem opnieuw, en de lucht siste met een nasaal giechelen.

Twijg viel op zijn knieën. De rots voelde koud en klam aan, de mist werd dikker dan ooit. Twijg zag nauwelijks een hand voor zijn ogen. 'Wat wil je van me?' fluisterde hij.

'Van je willen? Van JOU willen?' De stem barstte in een schor gelach los. 'De vraag is wat jij van *mij* wilt, Meester Twijg. Want jij hebt me ontboden.'

'Heb ik je ont... ontboden?', zei Twijg, de aarzelende woorden zwak en gedempt in de dichte mist. 'Maar hoe? En wanneer?'

'Kom, kom', klaagde de stem. 'Hang de kleine on-
schuldige woudtrol niet uit. "O, Schemergluiperd!"'
zei hij met een wanhopige stem die Twijg herkende als
de zijne. '"*Alstublieft. Alstublieft. Alstublieft. Laat me het
pad terugvinden.*" Ontken je dat je me geroepen hebt?'
Twijg beefde van angst toen hij besefte wat hij gedaan
had. 'Maar ik wist niet', protesteerde hij. 'Ik wilde
niet...'

'Je riep me, en ik kwam', zei de Schemergluiperd, en
zijn stem had een dreigend tintje nu. 'Ik volgde je, pas-
te op je. Meer dan eens heb ik je gered uit een hachelij-
ke situatie waarin je verzeild was geraakt.' Er volgde
een pauze. 'Verwachtte je niet dat ik luisterde, Meester

Twijg?' sprak de Schemergluiperd nu vriendelijker. 'Ik luister altijd: ik luister naar zwervers, naar eenzamen, naar wie nergens thuishoort, en uiteindelijk...'

'Uiteindelijk?' murmelde Twijg.

'Komen ze naar me toe', kondigde de stem aan. 'Zoals ook jij naar mij toe bent gekomen.'

De mist werd opnieuw dunner. Hij zweefde in de lucht als ragfijne draden van een spinnenweb. Twijg ontdekte dat hij geknield zat op de rand van het Klif. Op amper enkele centimeters van hem verzonk de grond in een pikdonkere duisternis. Achter hem bevonden zich de slierten prikkelende wolken, en voor hem... Bang en in paniek liet Twijg een ijselijke schreeuw horen. Voor hem, zwevend over de leegte eronder, hing de afschuwelijke, grinnikende kop van de Schemergluiperd zelf. Vol eeltplekken en wratten, met dikke uit zijn lange, grauwende gezicht spruitende dotten haar loerde hij naar Twijg en likte zijn lippen.

'Kom bij me', probeerde hij Twijg te overreden. 'Je riep me en hier ben ik. Zet die laatste stap, waarom niet?' Hij stak een hand uit. 'Je hoort bij me.'

Twijg deinsde achteruit, niet in staat zijn ogen van het monsterachtige gezicht af te houden. Twee hoorns krulden zich tot dunne, scherpe punten; twee gele ogen staarden hem hypnotiserend aan. De mist werd dunner en dunner. Om zijn schouders hing een vette, grijze jas die verdween in het niets.

'Een kleine stap', zei hij zachtjes en wenkte. 'Grijp mijn hand.' Twijg staarde naar de benige, van klauwen voorziene hand. 'Meer houdt het niet in – voor iemand als jij, Meester Twijg – om bij me te komen', klonk de stem verleidelijk, en de gele ogen sperden zich wijd open. 'Want jij bent bijzonder.'

'*Bijzonder*', fluisterde Twijg.

'Bijzonder', herhaalde de Schemergluiperd. 'Dat besefte ik zodra ik je hoorde roepen. Jij had een overweldigend verlangen: een innerlijke leegte die je hevig verlangde op te vullen. En ik kan je helpen. Ik kan je onderwijzen. Want dat is toch wat je echt wilt, Meester Twijg? Jij wilt weten. Begrijpen. *Daarom* verliet je het pad.'

'Ja', zei Twijg dromerig. 'Daarom verliet ik het pad.'

'Het Diepe Woud is niets voor jou', ging de Schemergluiperd verder, vleiend, aandringend. 'Niets voor jou dat bij veilig elkaar kruipen, dat schuilen in hoeken, die angst voor alles en iedereen. Want jij bent zoals ik. Jij bent een avonturier, een reiziger, een zoeker. Een luisteraar!' Zijn stem klonk kalm en intiem. 'Jij zou ook een Schemergluiperd kunnen zijn, Meester Twijg. Ik kan het je leren. Neem mijn hand en je zult het merken.'

Twijg kwam een stap dichterbij. Zijn enkel trilde. De Schemergluiperd – nog steeds in de lucht zwevend voorbij het Klif – beefde. Zijn monsterachtige gezicht vertrok van de pijn. Tranen welden op in de hoeken van zijn gele ogen.

'O, wat heb je veel te lijden gehad', zuchtte hij. 'Steeds uit je doppen kijken. Nooit buiten gevaar. Altijd bang. Maar het kan ook heel anders, Meester Twijg. Als je maar *mijn hand neemt*.'

Twijg schuifelde ongemakkelijk van de ene voet op de andere. Er klonk een geratel en een gekraak toen een groepje losgekomen stenen de kloof in denderde. 'En eruitzien zoals *jij*?' zei hij.

De Schemergluiperd wierp zijn hoofd achteruit en liet

een bulderende lach horen. 'Ben je dat dan vergeten, mijn kleine ijdeltuit?' zei hij. 'Je kunt er precies uitzien zoals je zelf wilt. Een machtige krijger, een knappe prins... Wat dan ook. Stel je eens voor, Meester Twijg', ging hij verlokkelijk verder, 'je zou een kobold of een trog kunnen worden', en met deze woorden bood hij Twijg een reeks karakters die hij maar al te goed herkende. De drabkobold die hem uit de kolonie had geleid,

de plathoofd die hem uit het slijk had gehaald,

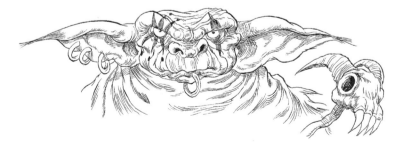

het grotmannetje dat Mag had doen struikelen en hem de weg naar de luchtschachten had gewezen.

'Of wat dacht je van deze?' bromde de Schemergluiperd. Twijg staarde naar een individu met een rood gezicht en vurig gekleurd haar.

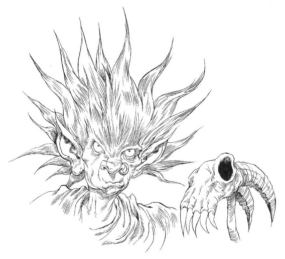

'Heb ik je niet horen verzuchten hoe *heerlijk* het zou zijn om bij de slachters te blijven?' vleide hij. 'Of misschien verkies je een gabberbeer', zei de Schemergluiperd, opnieuw van gedaante veranderend. 'Groot, sterk – niemand spot met de gabberbeer.' Hij gniffelde onaangenaam. 'Behalve de tsjak-tsjaks, uiteraard.'

Twijg huiverde. Dit zwevende creatuur wist werkelijk alles. Absoluut alles.

'Ik heb het!' riep de Schemergluiperd uit, en veranderde zichzelf in een gedrongen, bruin figuurtje met geknoopte haren en een knopneus.

'Een woudtrol. Dan kun je naar huis. Je zou erbij horen. Is dit niet wat je al de hele tijd wilt?'

Twijg knikte mechanisch.

'Je kunt *wie dan ook* zijn, Meester Twijg', zei de Schemergluiperd terwijl hij opnieuw in zijn originele gedaante kroop. 'Echt wie dan ook. Je kunt overal heen, je kunt doen wat je wilt. Grijp gewoon mijn hand en dit alles wordt het jouwe.'

Twijg slikte. Zijn hart sloeg hevig. Als de Schemergluiperd gelijk had, hoefde hij nooit meer een buitenstaander te zijn.

'En bedenk wat je allemaal zult zien', vleide de Schemergluiperd verleidelijk. 'Bedenk waar je allemaal heen kunt, steeds in een andere gedaante, opdagend als men je roept, altijd veilig, een luistervink in de kleinste hoekjes; de anderen altijd een stap voor. Denk eens aan de macht waarover je beschikt!'

Twijg staarde naar de uitgestoken hand. Hij stond op de uiterste rand van het Klif. Zijn arm strekte zich langzaam uit, wrijvend tegen het stekelige vest van hamelhoornhuid.

'Kom maar', zei de Schemergluiperd, met een stem die klonk als olie en honing. 'Zet toch die laatste stap. Steek je hand uit en neem de mijne beet. Je weet dat je het wilt.'

Maar Twijg twijfelde nog steeds. Niet al zijn ontmoetingen in het Diepe Woud waren zo verschrikkelijk geweest. De gabberbeer had zijn leven gered. Net als de slachters. En van hen had hij het vest gekregen dat bleef steken in de keel van de bloedeik, met de vacht die nu zo scherp overeind stond. Hij dacht aan zijn dorp en aan Spelda, zijn eigen allerliefste Moeder-Mijn,

die sinds zijn geboorte van hem gehouden had als was hij haar eigen zoon. Tranen welden op in zijn ogen.

Als hij het verleidelijke aanbod van de Schemergluiperd aanvaardde, zou hij geen van hen allen echt worden. *Het geeft niet hoe ik eruitzie*, dacht hij. Hij zou worden wat ze allemaal het ergste vreesden. Een Schemergluiperd. Nee, het kon niet. Hij zou nooit meer kunnen terugkeren. Nooit. Hij zou apart moeten blijven, afzijdig – alleen.

'Het is angst die ons belet om onszelf te worden', zei de Schemergluiperd, zijn gedachten lezend. 'Kom bij me, en al je angsten behoren tot het verleden. Neem mijn hand en je zult begrijpen. Vertrouw me, Meester Twijg.'

Twijg aarzelde. Kon dit echt het vreselijke monster zijn waar alle bosbewoners zo bang voor waren?

'Heb ik je tot nu toe ooit in de steek gelaten?' vroeg de Schemergluiperd rustig.

Twijg schudde dromerig zijn hoofd.

'Trouwens,' voegde hij eraan toe als iets dat plotseling bij hem opkwam, 'ik dacht dat je *wilde* zien wat er voorbij het Diepe Woud lag.'

Voorbij het Diepe Woud. De vier woorden tolden in Twijgs hoofd. *Voorbij* het Diepe Woud. Twijg stak zijn hand uit. Hij stapte over de rand.

Met een vreselijke, schrille lach greep de Schemergluiperd Twijgs polsen, en boorde zijn klauwen in het vlees.

'Ze trappen er allemaal in', schreeuwde de Schemergluiperd triomfantelijk. 'Alle arme, kleine kobolds en trollen, zwervers en daklozen; *allen* denken ze dat ze bijzonder zijn. Allen luisteren ze naar mij. Allen volgen ze mijn stem... Het is o zo zielig!'

'Maar jij zei dat ik *bijzonder* was', gilde Twijg, terwijl hij over de gapende leegte bengelde aan de klauw van het monster.

'Deed ik dat echt?' spotte de Schemergluiperd. 'Jij kleine idioot. Geloofde je nu echt dat je kon worden als mij? Jij bent net zo onbetekenend als alle andere, *Meester* Twijg', zei hij geringschattend. 'Jij bent niets. NIETS!' krijste hij. 'Hoor je me?'

'Maar waarom doe je dit?' jankte Twijg wanhopig. 'Waarom?'

'Omdat ik een Schemergluiperd ben', riep het beest uit, en kakelde gemeen. 'Een bedrieger, een oplichter, een flessentrekker en een sjoemelaar. Al mijn aardige woorden en mooie beloften zijn niets waard. Ik zoek al wie van het pad afgedwaald is. Ik lok ze naar het Klif. EN IK REKEN MET ZE AF!'

De Schemergluiperd verslapte zijn greep. Twijg gilde het uit van angst. Hij stortte naar beneden. Dieper en dieper en dieper. Over het Klif en in de bodemloze diepte van de inktzwarte duisternis eronder.

HOOFDSTUK VEERTIEN

VOORBIJ HET DIEPE WOUD

Twijgs hoofd tolde toen hij door de lucht buitelde. Een plotselinge opwaartse windvlaag bolde zijn kleren op en benam hem de adem. Tuimelend en duikelend viel hij steeds dieper, en steeds hoorde hij de vreselijke, wrede woorden van de Schemergluiperd in zijn bonzende hoofd.

Jij bent niets. NIETS!

'Niet waar!' huilde Twijg.

De zijkant van het Klif schoot als een vlek van uitgesmeerde verf langs hem voorbij. Al dat zoeken. Al die beproevingen en ellende. Al die keren dat hij dacht de rand van het Diepe Woud nooit levend te zullen bereiken. Zijn zo lang verdwenen vader terugvinden, en hem meteen weer verliezen – en dan, het ergste van allemaal, ontdekken dat de hele gevaarlijke tocht een deel was van een wreed en ingewikkeld spel, bedacht door de achterbakse Schemergluiperd. Het was allemaal zo, zo monsterachtig oneerlijk.

Tranen welden op in Twijgs ogen. 'Ik ben *niet* niets. Dat ben ik niet!' jankte hij.

Steeds dieper viel hij, door wervelende mist. Zou hij eindeloos blijven vallen? Hij sloot zijn ogen.

'Je bent een leugenaar!' gilde Twijg naar de top van het Klif.

LEUGENAAR, leugenaar, leuge... Het woord kaatste terug op de rots. Ja, dacht Twijg, de Schemergluiperd *is* een leugenaar. Hij loog over alles. Alles!

'Ik *ben* iets!' schreeuwde Twijg zo hard hij kon. 'Ik ben *iemand*. Ik ben Twijg, die van het pad is afgedwaald en tot voorbij het Diepe Woud reisde. IK BEN MEZEEEEEELF!'

Twijg opende zijn ogen. Er was iets gebeurd. Hij was aan het vliegen, niet aan het vallen, hoog boven het Klif, in en uit wolken.

'Ben ik dood?' vroeg hij zich hardop af.

'Niet dood', antwoordde een vertrouwde stem. 'Verre van dat. Je moet nog een heel eind.'

'Schutvogel!' riep Twijg.

De klauwen van de schutvogel verslapten hun greep rond Twijgs schouders. Zijn reusachtige vleugels sloegen ritmisch op en neer door de dunne, koude lucht.

'Jij was erbij toen ik uit het ei kwam en sindsdien heb ik je steeds in het oog gehouden', zei hij. 'En nu je me echt nodig hebt, ben ik er.'

'Maar waar vliegen we heen?' vroeg Twijg, die niets zag behalve open lucht.

'Niet "we", Twijg', verbeterde de schutvogel. 'Maar jij. Jouw lot ligt voorbij het Diepe Woud.'

En met deze woorden verslapten zijn klauwen hun greep en buitelde Twijg, nogmaals, naar beneden. Dieper en dieper en dieper en...

CRASH!

Alles werd zwart.

Twijg liep door een lange, donkere gang. Hij schoot door een deur een donkere kamer in. In de hoek stond een kast. Hij opende de deur en stapte in de diepere duisternis binnenin. Hij was op zoek naar iets, zoveel wist hij. In de kast hing een jas aan een haak. Twijg tastte naar de zak en klom in de nog diepere duisternis binnenin. Wat hij ook zocht, hier vond hij het niet, maar op de bodem lag een buidel. Hij opende het slot en sprong in de allerdiepste duisternis binnenin.

Binnen in de buidel lag een doek. Twijg herkende het gevoel ervan. Hij tastte naar de ineengedraaide hoeken, die nat waren van het kauwen. Het was zijn sjaal, zijn sjerp. Hij raapte hem op en drukte hem tegen zijn gezicht, en daar – hem aanstarend uit de duisternis van de stof – was een gezicht. *Zijn* gezicht. Het glimlachte. Twijg glimlachte terug.

'Mezelf', fluisterde hij.

'Alles goed met je?' vroeg het gezicht. Twijg knikte.

'Alles goed met je?' vroeg het nogmaals.

'Ja', zei Twijg.

De vraag werd een derde keer herhaald, en Twijg besefte dat de stem niet van de sjaal kwam, maar van elders. Ergens buiten. Zijn ogen schoten open. Boven hem hing een gigantisch, rood, harig gezicht. En het keek bezorgd.

'Tem!' riep Twijg uit. 'Tem Blafwater!'

'In hoogsteigen persoon', knikte de luchtpiraat. 'Geef me nu eindelijk eens antwoord: is alles goed met je?'

'Ik... ik vermoed van wel', zei Twijg. Hij trok zichzelf overeind tot op zijn ellebogen. 'Niets gebroken, althans.'

'Hoe is het met hem?' riep Spijker.

'Hij is oké!' riep Tem terug.

Twijg lag op een zacht bed van zeildoek op het dek van het schip. Hij klauterde overeind en blikte in het rond. Behalve de Steenpiloot waren ze er allemaal: Spijker, Stoop Boutkin, Sluwo Spliet, Sulkrent (vastgeketend aan de mast), Hubbel en, dichtst bij hem, de kapitein, Quintinius Verginix. Wolk Wolf. Zijn vader.

Wolk Wolf bukte zich en raakte Twijgs sjaal aan. Twijg weerde hem af.

'Rustig maar', zei de kapitein met lage stem. 'Niemand doet je wat. Blijkbaar zijn we toch nog niet van je af.'

'Nooit iets dergelijks meegemaakt, kap'tein', onderbrak Tem Blafwater hem. 'Viel zomaar uit de lucht – recht op het achterdek. Dit is een vreemde hemel, en als ik me niet vergis...'

'Hou op met tateren', zei de kapitein streng. 'En ga terug naar jullie posten, allemaal. Tegen middernacht moeten we Onderstad bereikt hebben.'

De bemanning ging uit elkaar.

'Jij niet', zei de kapitein stilletjes, terwijl hij een hand op Twijgs arm legde, die ook aanstalten maakte om te vertrekken.

Twijg keek om zich heen. 'W... waarom heb je me achtergelaten?' vroeg hij met droge mond en krakende stem.

De kapitein staarde hem aan, op zijn maskerachtige gezicht viel geen greintje emotie te bespeuren. 'We hadden geen extra bemanningslid nodig', zei hij eenvoudigweg. 'Trouwens, ik denk niet dat het piratenleven voor jou weggelegd is.' Hij pauzeerde. Hij nam duidelijk een beslissing over iets.

Twijg bleef wachten tot de kapitein opnieuw het woord nam. Hij voelde zich verlegen, ongemakkelijk. Hij beet op de binnenkant van zijn wang. De kapitein vernauwde zijn ogen tot spleetjes toen hij voorover leunde. Twijg huiverde. De adem van de man was warm en lawaaierig aan zijn oor, en de bakkebaarden kietelden zijn nek.

'Ik heb de sjaal gezien', bekende hij, zo stil dat alleen Twijg het kon horen. 'Jouw sjaal. De sjaal die Maris – je moeder – gemaakt heeft. En ik wist dat jij... Na al die jaren.' Hij werd stil. Zijn onderlip trilde. 'Het was meer dan ik kon verdragen. Ik moest ervandoor... Ik... ik liet je achter. Voor de tweede keer.'

Twijg wrong zich in bochten. Zijn gezicht was rood en warm.

De kapitein legde zijn handen op Twijgs schouders en staarde recht in zijn ogen. 'Het zal geen derde keer gebeuren', sprak hij zacht. 'Nooit zal ik je nog in de steek laten.'

Hij sloeg zijn armen om de jongen heen en knuffelde hem hevig.

'Van nu af aan lopen onze bestemmingen gelijk', fluisterde hij met aandrang. 'En jij en ik zullen samen de hemelen bevaren. Jij en ik, Twijg. Jij en ik.'

Twijg zei niets. Hij was sprakeloos. Vreugdetranen schoten in zijn ogen; zijn hart bonsde zo hard dat hij dacht dat het zou exploderen. Eindelijk had hij zijn vader gevonden.

Plotseling duwde de kapitein hem weg. 'Maar je wordt net zo goed een lid van de bemanning als alle anderen', zei hij nors. 'Verwacht dus geen speciale gunsten.'

'Nee, v... kapitein', zei Twijg stil. 'Dat doe ik niet.'

Wolk Wolf knikte goedkeurend, rechtte zijn rug en richtte zich tot de anderen, die stomverbaasd hadden staan toekijken. 'Kom op, stelletje luiaards', gromde hij. 'De show is afgelopen. Hijs het grootzeil, licht het anker en laten we maken dat we hier weg zijn.'

Een koor van 'aye-aye, kap'tein's vulde de lucht en de luchtpiraten gingen aan het werk. De kapitein schreed naar de helmstok met Twijg naast zich, en greep het wiel.

Eindelijk samen stonden ze zij aan zij terwijl het luchtschip de lucht in steeg en wegzeilde, ver voorbij het Diepe Woud...

De kapitein draaide zich naar zijn zoon. 'Twijg', zei hij bedachtzaam, met glinsterende ogen. *Twijg!* Ik bedoel, wat voor een naam is dat voor de zoon van Quintinius Verginix, kapitein van het mooiste luchtpiratenschip dat ooit de blauwe hemelen bevoer? Eh? Vertel me dat eens?'

Twijg glimlachte terug. 'Dat is *mijn* naam', zei hij.